Ei

34

Collana diretta da Orietta Fatucci

ISBN 978-88-7926-152-4

www.edizioniel.com

Le novelle qui pubblicate sono uscite per la prima volta sul quotidiano *Paese Sera* nel biennio 1972-73; sono state poi raccolte dallo stesso Rodari – insieme ad altre qui tralasciate per i numerosi riferimenti, oggi difficilmente comprensibili, a personaggi e situazioni di quegli anni – nel volume *Novelle fatte a macchina* (Torino, Einaudi, 1973). La presente edizione ripristina l'ordine cronologico di uscita sul quotidiano romano.

Gianni Rodari

Novelle fatte a macchina

Illustrazioni di Francesco Altan

Einaudi Ragazzi

Novelle fatte a macchina

Padrone e ragioniere
ovvero
L'automobile, il violino e il tram da corsa

Il commendator Mambretti è il padrone di una fabbrica di accessori per cavatappi a Carpi, in provincia di Modena. Egli possiede trenta automobili e trenta capelli.

– Quante automobili, – dice la gente.

– Che pochi capelli, – sospira il commendator Mambretti. Non si sa perché: in fin dei conti, trenta è uguale a trenta, no?

Per andare in fabbrica il commendator Mambretti prende un'automobile lunga dodici metri: la piú grande, la piú lussuosa, la piú gialla dell'intera regione Emilia-Romagna. Tutte le mattine, mentre guida, il commendator Mambretti domanda allo specchio retrovisore:

– Specchio, specchio cortese, qual è l'automobile piú bella del paese?

– La sua, commendator Mambretti, – risponde lo specchio con voce da sassofono tenore.

Soddisfatto della risposta, il piú famoso

produttore di accessori per cavatappi della Valle Padana pigia il pedale dell'acceleratore e la macchina scivola avanti come una regina della strada.

Una mattina di lunedí, come sempre, il commendator Mambretti strizza l'occhio e domanda allo specchio retrovisore:

– Specchio, specchio cortese, qual è l'automobile piú bella del paese?

E già si prepara ad assaporare la risposta come un cioccolatino al whisky scozzese con dodici anni d'invecchiamento, quando lo specchio risponde, con voce da bass-tuba:

– È quella del ragionier Giovanni.

– Mannaggia, – dice il commendator Mambretti, pigiando il pedale del freno. È una parola che ha imparato al cinema.

– Non è possibile, – egli grida. – Che ti venga la congiuntivite! Il ragionier Giovanni è un morto di fame, ha solo una bicicletta senza la pompa!

Ma lo specchio, piú volte interrogato, ribadisce con fermezza. Sotto la minaccia di essere fatto a pezzi, venduto come schiavo, ricoperto di carta velina, non muta la sua sentenza.

Il commendator Mambretti scoppia in pianto, e un vigile gli appioppa una contravvenzione perché blocca il traffico. Paga, riparte, corre in fabbrica. Nel suo ufficio il ragionier Giovanni sta ripassando sul suo violino il concerto di Max Bruch.

Il ragionier Giovanni è un ometto secco, con i capelli bianchi. Li aveva già bianchi fin da bambino, tanto che i suoi compagni lo avevano soprannominato Biancaneve.

In ditta, fa di tutto. Lucida gli accessori per cavatappi, serve da tavolino al principale quando gira per la fabbrica e deve prendere appunti (li prende sulla schiena del ragionier Giovanni) e fa il commento musicale. Il commendator Mambretti non vuol essere da meno dei personaggi dei teleromanzi, che non parlano se non c'è il commento musicale: anche quando fuggono nella notte, hanno sempre dietro un'intera orchestra (sarà magari su un camion) che gli suona delle tremende sinfonie. Nell'ufficio c'è un paravento. Quando viene un cliente a trattare un affare, il ragionier Giovanni va dietro il paravento con il suo violino. Dalla voce del principale capisce se deve suonare un «adagio», un «andantino» o un «presto molto».

– Buongiorno, commendatore, – dice il ragionier Giovanni, staccando l'archetto dalle corde.

Il commendatore lo guarda a lungo, con uno sguardo pessimistico, e quando parla lo fa con voce cosí triste, che il ragionier Giovanni si sente in dovere di attaccare il tema della morte di Isotta.

– Non ci siamo, non ci siamo, ragionier Giovanni, – dice il commendatore, – e lasci stare Wagner. Tutte queste novità... queste automobili...

– Ah, l'ha già saputo?

– Sono cose che si sanno. La gente mormora...

– Ma non c'è niente di male! È morta mia zia Giuditta, mi ha lasciato qualche ducato, cosí mi sono deciso a comprare quella macchinetta.

– Macchinetta, eh? Vadi, vadi...

Ma, cosa dice, commendatore, guardi con i suoi occhi personali.

Là, in un angolo del cortile, si nota con qualche sforzo una minuscola automobile rossa a tre ruote, non piú alta di uno sgabello. Pare un'automobile rimasta bambina per mancanza di vitamine.

«E quella lí sarebbe l'automobile piú bella del paese? – riflette il commendator Mambretti, sorridendo con un solo dente. – Si vede che il mio specchio è diventato scemo dalla nascita. Che gli venga l'orticaria».

Intanto si vedono degli operai che attraversano il cortile per il loro lavoro. E tutti si fermano a guardare l'automobile del ragionier Giovanni. Uno le fa una carezza, un altro le spolvera un parafango col fazzoletto, un terzo è cosí distratto che si accende due sigarette in una volta. E nessuno sembra accorgersi che proprio quella mattina l'automobile del commendator Mambretti ha un'antenna nuova per la radio, tutta di lapislazzuli, e un quadro nuovo di Annigoni nel settore artistico.

– Sovversivi, – borbotta il padrone. – Basta che vedano del rosso.

Piú tardi, nel tornare a casa, il commendator Mambretti domanda per l'ultima volta allo specchio retrovisore: – Dimmi, ma non mentir, qual è l'automobile piú bella del paese?

– È quella del ragionier Giovanni.

– Ma perché?

– È quella del ragionier Giovanni.

– Ma se non ha nemmeno l'impianto per la doccia calda e fredda, il samovar e il registratore a cassetta?!

– È quella del ragionier Giovanni.

– Che ti venga un giradito, – esclama il commendator Mambretti.

Lo specchio tace dignitosamente, rispecchiando di passaggio un autotreno con rimorchio pieno di maiali diretti a un salumificio di Reggio Emilia.

Quella sera stessa il commendator Mambretti decide di andare al cinema per dimenticare i dispiaceri. Davanti al Cine Star trova le automobili in sosta, fitte come i pini nel pineto, le querce nel querceto e le ciliege nel vaso delle ciliege sotto spirito. Mentre cerca un posto per parcheggiare la sua supermacchina, egli scopre proprio lí, a due metri dal suo paraurti anteriore, il macinino, il minisgorbio, il microscarabocchio del ragionier Giovanni. La piazza è deserta. I carpigiani stanno tutti al cinema, a casa a guardare la televisione e al caffè a giocare a ramino. Non circola anima viva, non ci sono posteggiatori abusivi in vista, la luna è assente giustificata.

– Adesso o mai piú, – decide il commendator Mambretti.

Basta un colpetto all'acceleratore. Il muso possente della supercilindrata balza sulla macchinetta rossa, che del resto, essendo notte, sembra nera. La schiaccia come una fisarmonica. Freno. Marcia indietro. Prima e seconda. Via a tutto gas. Nessuno ha visto niente. Nemmeno lo specchio retrovisore, perché guardava dall'altra parte e in pratica faceva il palo.

All'uscita dal cinema il ragionier Giovanni vede la sua macchina ridotta a una via di mezzo tra un colabrodo e una pizza alla napoletana e sviene. Molti carpigiani lo assistono amorevolmente, gli danno piccole

sberle, gli fanno odorare sali e tabacchi per farlo rinvenire.

– Povero me, – sospira il ragionier Giovanni. – Addio del passato bei sogni ridenti!

– Suvvia, non se la prenda, – dice la gente. – Ci penserà Settemani.

– Chi?

– Il carrozziere, no? Quello che chiamano Settemani da tanto che è bravo, che pare che abbia davvero sette mani al posto di due.

– Ah, Settemani.

– Chi mi chiama? – domanda un omone che esce dal cinema per ultimo.

– Si parlava giusto di lei, signor Malagodi detto Settemani. Guardi che carneficina.

– Eh, ne ho viste di peggio. Ci penso me. Posso prenderla, ragionier Giovanni?

– Sí, grazie tante.

Con una sola mano, Settemani solleva il cartoccio, se lo ficca sotto il braccio e si avvia verso l'officina tra due ali di popolo.

Quella notte il ragionier Giovanni dorme sul pavimento dell'officina, abbracciato ai rottami della sua mini. La mattina dopo Settemani si mette al lavoro e il ragionier Giovanni non va neanche in fabbrica per starlo a guardare sospirosamente.

Il commendator Mambretti ha un incontro d'affari con un affarista di Stoccolma;

sente molto la mancanza del commento musicale, ma fa finta di niente. Dopo pranzo manda una spia a spiare quel che succede nell'officina di Settemani. La spia torna quasi subito.

– E allora?

– Quel Settemani è proprio un fenomeno, commendatore. La macchina è tornata come nuova. Settemani la sta verniciando e il ragionier Giovanni gli fa il commento con il violino.

Il commendator Mambretti picchia un pugno sul tavolo che lo spacca. Con le difficoltà che ci sono oggi a trovare un buon falegname. Poi manda la spia in un altro posto. Bisogna sapere che il commendator Mambretti è il capo segreto di una banda di ladri di automobili. Ai suoi ordini la banda si mette in movimento. Prima passa dall'officina un tale a chiamare Settemani: – Ha detto sua moglie di andare a casa, perché le hanno rubato il borotalco.

– Ancora? – sbotta Settemani. – È già la terza volta in una settimana. Vado subito a vedere. Lei, ragionier Giovanni, mi aspetti qui.

Settemani corre a casa. Allora passa dall'officina un altro tale e offre al ragionier Giovanni un gelato alla panna. Il ragionier Giovanni lo accetta come un segno di solidarietà per le sue disgrazie, ma nel gelato c'è un sonnifero. Appena il ragionier Giovanni si addormenta, arriva la banda e fa sparire la macchina. Arriva anche Settemani, tutto contento perché la cosa del furto del borotalco non era vera; vede il ragionier Giovanni che dorme. Non vede piú la macchina, che è sparita; capisce ogni cosa e si mette a piangere: non può mica mandare la fattura ai ladri...

Subito dopo arriva il postino: – Telegramma per il ragionier Giovanni.

– Poveraccio! Gli hanno appena rubato la macchina, adesso anche un telegramma. Io non lo sveglio. Anch'io vorrei dormir cosí...

Finisce che a svegliare il ragionier Giovanni ci pensa il postino. Il telegramma dice: «Morta zia Pasqualina, vieni prendere eredità».

– Meno male, – dice Settemani. – Magari con l'eredità si compra una macchina con quattro ruote...

Il giorno dopo, mentre va in fabbrica, il commendator Mambretti domanda malignamente allo specchio retrovisore:

– Specchio, specchio cortese, qual è adesso l'automobile piú bella del paese?

E lo specchio, con voce da balalaika: – È quella del ragionier Giovanni.

Il commendator Mambretti, per lo sbalordimento, passa col rosso e prende la multa. Corre in fabbrica, manda a chiamare il ragionier Giovanni, lo vede tutto allegro, pronto a suonare il *Moto perpetuo* di Paganini.

– Non ci siamo, ragionier Giovanni. Tutte queste novità, queste automobili...

– Ma quale automobile, commendatore? Guardi lei stesso con i suoi occhi personali.

Il commendator Mambretti guarda dalla finestra. In un angolo del cortile, circondato dall'ammirazione degli operai e delle impiegate, col muso tuffato in un sacchetto di avena, c'è un cavallo bianco che batte uno zoccolo per terra e fa: *Toc toc*, *toc*, come per dire: «Prendi, incarta e porta a casa».

– Me l'ha lasciato mia zia Pasqualina, morendo sul letto di morte.

«Chi me l'ha fatto fare, – pensa il commendatore, – di assumere un ragioniere con tante zie moribonde. Per fortuna sono il capo segreto di una banda di ladri di cavalli e prima di domani sarà sistemata anche l'eredita della zia Pasqualina. Ma lo specchio mi deve spiegare perché gli piace piú questo brocco della mia automobile, che di cavalli ne ha ventisette!»

Lo specchio, invece, non spiega niente. Continua a ripetere che il cavallo del ragionier Giovanni è la piú bella automobile del paese e il commendator Mambretti ci si arrabbia, tanto che si strappa i capelli. Cosí gliene restano solo ventotto.

– Specchio del diavolo, – egli grida. – Tu sei il piú brutto giorno della mia vita. Che ti vengano gli orecchioni.

Quando gli rubano anche il cavallo bianco il ragionier Giovanni vuol diventare matto dal dolore, ma non ci riesce. Allora prende il violino e ci fa un commento musicale cosí bello, ma cosí bello che la gente viene fin da Sassuolo e da Voghera per sentirlo. Viene anche un maestro della Scala di Milano. Era fermo a far benzina sull'Autostrada del Sole e sente quel violino.

– Chi è che suona cosí bene e anche meglio? – domanda al benzinaro.

– È il ragionier Giovanni che fa il commento musicale.

– Voglio conoscerlo.

Fa la sua conoscenza e gli dice: – Lei è il piú bravo violinista del mondo. Se viene con me, la faccio diventare ricco a palate e anche di piú.

Il ragionier Giovanni esita. Nonostante tutto egli è affezionato alla ditta Mambretti e gli piacciono gli accessori per cavatappi. Però sente tanto la mancanza del cavallo che accetta la proposta. Va a Milano. Di mestiere fa il piú bravo violinista del mondo. Guadagna un sacco di rupie e finalmente può coronare il sogno segreto della sua vita: comprare un tram da corsa!

Quando va a Modena col suo tram da corsa, tutti corrono a battergli le mani. Escono anche le monache dai conventi e il commendator Mambretti si chiude in casa per non vedere, per non sentire, per non farsi venire la voglia di strapparsi un altro capello.

Il postino di Civitavecchia

A Civitavecchia, siccome è una città quasi grande e c'è anche il porto per i bastimenti che vanno in Sardegna, ci sono tanti postini. Ce ne sono piú di dodici. Il piú piccolo è il postino Grillo. Veramente si chiamerebbe Angeloni Gian Gottardo e negli ambienti postali è conosciuto come Trottino, perché va sempre al trotto. Ma in città lo chiamano Grillo, che era già il soprannome di suo nonno.

Grillo è cosí piccolo che non è nemmeno sposato. Ha solo una fidanzata di nome Angela, molto carina, molto sportiva. Fa il tifo per la Ternana dato che suo padre è oriundo di Terni: ma è un oriundo qualunque, non di quelli che giocano al calcio. Angela fa il tifo soprattutto per Grillo, e gli dice: – Tu sei il miglior postino di Civitavecchia e del medio e basso Tirreno. Nessuno porta una borsa pesante come la tua. Se ti danno un telegramma da recapitare, vai cosí svelto che qualche volta arrivi il giorno prima.

Angela gli vuole tanto bene che quando piove gli asciuga l'ombrello con il phon.

Grillo viene assegnato alla consegna dei pacchi postali, ma per lui è uno scherzo: ne porta anche ventiquattro per volta e non suda nemmeno, cosí risparmia il fazzoletto, con quel che costa il sapone.

Una mattina, invece di un pacco, gli danno da consegnare una botte di vino. Pesantissima: era vino di quattordici gradi, figuriamoci. Lui la mette sul manubrio del motorino e via. Finisce la miscela, il motorino non va piú. Non importa: Grillo si carica la botte sul dito pollice e la porta al destinatario. Torna in ufficio, il suo capo lo chiama: – Cosí e cosí, come va che porti una botte sul dito pollice e non ti si storta neanche un po'?

– Cosa vuole che sia una botte, capo. Io sono abituato ai carichi. Ho un carico di famiglia lungo come la fame: la mamma, la nonna, due zie zitelle e sette fratelli di nome Romolo, Remo, Pompilio, Tullio, Tarquinio...

– Alt. Non sono i nomi dei sette re di Roma?

– Naturale. Roma è pur sempre la capitale. Mio padre era un buon patriota.

– Senti, – dice il capo, – perché non fai il sollevamento pesi, che magari diventi un gran campione ?

– Ci penserò.

– Quando?

– Questa sera alle sette e mezza.

Alle sette e mezza Grillo s'incontra con Angela e lei, sportiva com'è, fa subito il tifo per il sollevamento pesi.

– Però, – suggerisce, – alleniamoci di nascosto, cosí ti presenti di sorpresa, batti tutti, conquisti la gloria, ti intervistano alla radio e dici che hai una fidanzata di nome Angela.

Restano d'accordo cosí. Appena è buio e tutti gli abitanti di Civitavecchia si chiudono in casa a guardare la televisione (fanno cosí anche a Milano, Nuova York e Forlimpopoli) Grillo comincia l'allenamento. Prima solleva una motocicletta giapponese che pesa due quintali, poi una cinquecento, poi una centoventicinque e, per ultimo, un autotreno col rimorchio.

– Sei piú forte di Maciste, – dice Angela, tutta contenta.

Maciste è uno scaricatore del porto che solleva una cassa di bulloni con una mano sola: però non ha la nonna a carico e ha solo due fratelli, cosí non è tanto allenato.

La mattina dopo il capo chiama Grillo nel suo ufficio: – Ci hai pensato?

– Sí, dalle diciannove e trenta alle undici e quarantacinque. Però per un po' di tempo voglio fare l'allenamento segreto. Se viene stasera a mezzanotte le faccio vedere.

– A mezzanotte, veramente, ci si vede poco.

– La mia fidanzata porterà una lampadina tascabile.

A mezzanotte vanno al porto, prendono una barchetta, Angela insiste che rema lei per far risparmiare le forze a Grillo, il capo borbotta: – Non andremo mica a cercare balene da sollevare?

Grillo si mette il costume da bagno, scende in acqua, si avvicina a una nave da carico battente bandiera turca, millecinquecento tonnellate di stazza, dice: – Oh-hop! – perché tutto sia regolare, e solleva il bastimento fin che si vede l'elica. A bordo qualcuno grida un paio di parole turche, ma Grillo, non conoscendo quella lingua, non risponde.

– Ha visto, signor capo? – dice Angela, spegnendo la lampadina tascabile.

Il capo, per l'entusiasmo, si tuffa in acqua vestito, abbraccia Grillo e quasi lo fa affogare. Per fortuna Angela ha portato il phon a transistor, cosí può asciugarli tutti e due ed anche i vestiti del capo, compreso il fazzolettino bianco nel taschino della giacca.

– Tu sarai la gloria delle poste e telegrafi, – dice il capo. – Ma, mi raccomando, acqua in bocca. Nessuno deve sapere nulla fino al giorno della sorpresa e del trionfo, cosí t'intervistano alla radio, ti domandano chi ti ha scoperto, e tu rispondi: Il mio capo, dottor Tale.

– E dice anche che ha la fidanzata che si chiama Angela, – aggiunge Angela.

– Posso dirlo? – domanda Grillo, rispettosamente al capo.

– Naturale che puoi dirlo, – risponde Angela.

La notte seguente vanno a Roma, fingendo di andare a Viterbo, per fare un altro allenamento segreto. Grillo solleva il Colosseo, strappandolo dalle sue fondamenta, poi lo rimette a posto con cura.

– Troppo in fretta, – critica il capo. – Quasi quasi non ho fatto in tempo a vedere. Tu fai tutto troppo svelto.

– Beh, capo, bisogna essere svelti per forza quando si ha la mamma, la nonna, due zie zitelle e sette fratelli a carico.

– E inoltre, – aggiunge Angela, – si ha l'intenzione di sposarsi.

– Questo non lo capisco, – dice il capo sottovoce ad Angela, mentre Grillo è andato a lavarsi le mani alla fontanella. – Una bella ragazza come lei, alta uno e settantatre, peso chilogrammi cinquantaquattro, con due begli occhi verdi e tanti capelli, come ha fatto a innamorarsi di un postino cosí piccolo e già cosí carico di famiglia?

– Guardi, – gli risponde Angela, – che sono un po' sollevatrice di pesi anch'io. Se mi fa un'altra volta di questi discorsi, la metto a sedere in cima all'Arco di Costantino. Poi vediamo cosa succede.

– Come non detto, – fa il capo. – Pensiamo al nostro campione. Tra quindici giorni ci sono i campionati del mondo. Pago io la tassa d'iscrizione.

Fanno anche degli altri piccoli allenamenti e il bravo postino, incoraggiato dalla ragazza e dal capo, solleva successivamente: le tombe etrusche di Tarquinia, le rovine di Canale Monterano, un'isola del lago di Bolsena, il monte Soratte, la Cantina Sociale di Cerveteri, eccetera. Dopo basta. Non rimane che aspettare il giorno e l'ora dei campionati mondiali, che si svolgono ad Alessandria d'Egitto. Il capo paga il viaggio anche per Angela, che sulla nave fa la sua figura: quasi tutti i marinai le domandano se ha qualche sorella da maritare.

Grillo è un po' nervoso, gli prende la smania come quella volta che doveva portare un espresso urgente e ha fatto tanto presto da arrivare prima che l'espresso fosse spedito.

– Calma, – gli si raccomanda il capo. – Sei il piú forte sollevatore del sistema solare, non rovinare tutto per la fretta.

– Va bene, capo, – mormora Grillo. – È che non sono abituato a perdere tempo e questa nave pare che non abbia nessuna voglia di andare in Egitto.

Invece poi ci va, i sollevatori di peso entrano in Alessandria, trovano l'albergo, e il capo e Angela dicono a Grillo: – Fatti una dormitina, cosí ti passano i nervi. Intanto noi andiamo a fare un'ispezione in palestra per essere sicuri che non usino pesi falsi e menzogneri.

Grillo va a dormire, ma dorme cosí in fretta che si sveglia il giorno prima. Guarda il calendario e vede che è lunedí, mentre loro erano arrivati martedí.

«Ecco, – pensa, – ora mi tocca di dormire tanto di quel tempo per rimettermi in pari...»

Si riaddormenta, ma dorme cosí in fretta che si sveglia tre o quattromila anni prima. Si sveglia nel deserto perché l'albergo non c'è ancora, e lí vicino c'è un tale vestito da antico egiziano che gli domanda: – *Quick queck quack e quock?*

– Non ho capito un cavolfiore, – risponde Grillo educatamente. – A Civitavecchia parliamo differente.

Quel tale fa ancora due o tre volte: – *Quick! Quick!* – Poi chiama due schiavi che fanno alzare in piedi il postino, lo ficcano in una barca piena di gente in divisa da antichi egiziani e gli mettono in mano un remo.

– *Quack*, – fa il comandante della barca.

– Questa l'ho capita, – dice Grillo, – vuol dire: rema.

Appena comincia a remare lui smettono tutti gli altri, perché non c'è piú bisogno di loro: basta Grillo a far volare la barca giú per il Nilo, a una velocità tale che i coccodrilli si scansano protestando e gli struzzi, sulla riva, restano indietro un bel pezzo. Il comandante della barca è cosí contento che diventa matto per la contentezza, e lo debbono legare.

Grillo intanto ha sgamato che qua lo stanno portando a dare una mano per costruire le piramidi d'Egitto. E cosí è, difatti. Lí nel deserto c'è una piramide a metà, migliaia di schiavi che corrono su e giú portando, spingendo, trascinando pietroni enormi; e c'è il Faraone che sgrida i suoi segretari. Anche lui fa: «*Quick! Queck!*» Ma si capisce benissimo che il Faraone è scontento perché i lavori vanno avanti all'indietro e i suoi segretari se la fanno sotto per la paura di rimetterci la testa, comprese le orecchie.

«Una mano gliela do, – pensa Grillo, – non mi costa niente. Ma dopopranzo spesso. Arrivederci e grazie».

Quegli spaventosi pietroni, lui li solleva senza stringersi la cintura. Ne butta su dodici alla volta con una mano e dodici con quell'altra, intanto che da tutte le parti arriva gente a fare: – Olè! – e – *Queck! Queck!* – e il Faraone per la meraviglia sviene e gli debbono mettere un gatto sotto il naso per farlo rinvenire (usanza faraonica). In un paio d'ore la piramide è finita: rancio speciale per gli addetti ai lavori, festeggiamenti popolari (rottura delle pignatte, corsa sugli asini, albero della cuccagna). Il Faraone vuole conoscere quello schiavo straniero e, un po' con le mani, un po' con le parole, gli domanda di dove viene:

– Babilonia?

– No, Eccellenza. Civitavecchia.

– Sodoma e Gomorra?

– Gliel'ho già detto, commendatore: Civitavecchia.

Il Faraone si stufa dell'interrogatorio e dice qualche cosa come: ma vai a quel paese. Grillo mantiene un prudente silenzio: negli

interrogatori, si sa, è meglio dire il meno possibile. Mangia quando gli danno da mangiare, beve quando gli danno da bere, poi gli fanno segno che può dormire sotto una palma.

«Meno male, – pensa Grillo. – E adesso cerchiamo di dormire piano piano, a lungo, per tornare ai giorni nostri».

Per un po' ce la fa a far passare i secoli e i millenni, ma poi, la solita impazienza, comincia a domandarsi: «Sarà ora che mi svegli? Non sarà ora che mi svegli?»

Si sveglia in tempo per dare una mano a scavare il Canale di Suez, dove per fortuna trova uno di Civitavecchia, che si chiama Angeloni Martino ed è stato compagno di scuola del suo trisnonno, e gli paga da bere.

Quando si rimette a dormire, ha imparato la lezione. Ma l'ha imparata troppo bene. Si sveglia nell'albergo di Alessandria d'Egitto che i campionati mondiali sono già finiti. Hanno vinto tutti meno quelli di Civitavecchia. Il capo è rientrato in Italia col primo aereo, infuriatissimo. Angela è lí che gira il cucchiaino nella tazza del caffè.

– Bevi, – dice. – Ormai sarà freddo, perché l'hanno portato tre giorni fa. Si vede che ti hanno fatto il trucco per non lasciarti vincere: ti hanno dato un sonnifero potente. Il capo ha detto che farà causa. Fa niente.

L'anno prossimo ci sono le Olimpiadi. Vincerai quelle.

– No, – dice Grillo, – non voglio piú vincere niente. Col carico di famiglia che mi trovo, è inutile che vada in giro per l'universo a sollevare altri carichi.

– Allora, a me non mi sposi piú?

– Ti sposo subito, anche la settimana passata.

– No, a me basta domani.

Prima di andare a Civitavecchia a sposarsi, però, fanno un bel viaggetto fino alle Piramidi. Grillo riconosce subito quella che ha fatto lui, con le sue mani postelegrafoniche. Però non dice nulla. I grandi campioni sono modesti. I piú grandi campioni sono i piú modesti di tutti. Cosí modesti che il loro nome non lo sa nessuno. Tutti i giorni della vita sollevano pesi spaventosi, ma non ci pensano nemmeno a farsi intervistare.

Pianoforte Bill
e il mistero degli spaventapasseri

Lassú lassú, tra i monti della Tolfa, dove i funghi sono sempre porcini e le castagne non hanno mai il verme; ma qualche volta anche laggiú laggiú, nella Piana delle Lumache, dove le acque del Mignone vagano senza un'idea precisa, si aggira un solitario cowboy. Egli è Bill l'Oriolese, cosí soprannominato perché figlio di un allevatore di Oriolo Romano. I tolfetani, per evidenti ragioni, lo chiamano lo Straniero. Ma il suo vero nome di battaglia è Piano Bill.

Sentite nell'aria le celebri note della *Canzone della Volpe*, dal *Microcosmo* di Béla Bartók, numero 95, volume terzo, pagina 44? È Bill che la esegue, sul suo fedele pianoforte. Insieme essi scalano le pendici del Monte Tosto, o si accampano là, verso la Ripa Rossa, dove di nuovo vagano alla rinfusa le acque del Mignone. Insieme cavalcano, davanti Bill sul suo cavallo bianco, dietro il pianoforte, sul suo cavallo nero.

Pianoforte Bill. Piano Bill. Quando si arresta per la notte il solitario cowboy, prima ancora di montare la tenda e accendere il fuoco per tener lontani gli sceriffi, scarica il pianoforte e accenna fuggevolmente le Trentatre Variazioni di Beethoven su un valzer di Diabelli.

I contadini della vallata, mentre vanno a letto, si dicono l'un l'altro: – Ecco Piano Bill che accenna fuggevolmente le Trentatre Variazioni. Ottimo il tocco.

Lo Sceriffo della Tolfa, che da giorni e giorni dà la caccia a Piano Bill per ficcarlo dentro, segue l'eco come una pista sonora e tra sé gongola: – Stavolta, Straniero, ti metto il sale sulla coda.

Difatti, mentre il solitario cowboy gusta un porcino arrostito sulla brace, lo Sceriffo gli si avvicina, gli si avvicina ancora e vieppiú, è pronto a scattare in nome della legge. Ma Bill, che ha l'orecchio assoluto, avverte lo spostamento d'aria e senza neanche voltarsi, gli fa: – Fermo con le manette, Sceriffo. Qui siamo in territorio di Canale Monterano; non avete alcuna autorità né su di me né sul mio fedele pianoforte.

– Sei furbo, Straniero, – borbotta lo Sceriffo. – Ma non te la caverai con una mazurka di Chopin il giorno che ti metterò il sale sulla coda.

Piano Bill solleva senza sforzo apparente un sopracciglio: – Suono molto di rado Chopin, – dice, – e piú che altro gli Studi. Ho notato che le Mazurke fanno piovere. Inoltre vorrei sapere perché mi state dando la caccia con tanto accanimento.

– Sei curioso, Straniero. Ma te lo dirò. Negli ultimi tempi sono scomparsi numerosi spaventapasseri. Piú di dodici per l'esattezza. Svariati testimoni d'ambo i sessi ti accusano. Il Comune ha già acquistato la corda per impiccarti. È stato indetto fra i falegnami l'appalto per prepararti la cassa. Si fanno le cose in regola, noi, con i ladri.

Piano Bill riflette. Ha notato anche lui, nei suoi vagabondaggi solitari, una certa rarefazione degli spaventapasseri. Egli è pronto a scommettere sulla propria innocenza; tuttavia non dice nulla. Esegue alcune Scene del Bosco di Schumann e si corica tranquillamente nel suo sacco a pelo, dopo aver coperto il fedele pianoforte con l'apposito telone di plastica grigia. Lo Sceriffo si corica non lontano, deciso a catturare l'Oriolese con uno stratagemma quando si sarà ben bene addormentato. Succede però che si addormenta prima lui. Quando lo sente russare, Piano Bill ricarica il pianoforte sul cavallo, rimonta in sella egli stesso e riprende il suo fatale andare, costeggiando il corso sconclusionato del Mignone.

Cammina e cammina, arriva alla fontanella dell'acqua acetosa, sotto la Rota e scende a bere. È un'acqua che facilita la digestione, e chi ben digerisce è alla metà dell'opera. Difatti mentre beve gli viene in mente che proprio nel campo lí vicino è stato rubato uno spaventapasseri e decide di andare a dare un'occhiata o due. Alla seconda occhiata scopre una traccia preziosa: una minuscola scaglia di sapone deodorante Belnik, noto come «l'amico delle fanciulle».

– Bill, – dice a se stesso il solitario cowboy, – detto sapone, di detta marca, non può essere appartenuto allo spaventapasseri, bensí a persona, maschile o femminile, che combina l'ascolto della pubblicità radiofonica con l'igiene delle ascelle. Cerca dunque la radiolina, e il ladro sarà tuo.

Egli mette i cavalli al trotto, ripassando mentalmente le Variazioni Goldberg, di Giovanni Sebastiano Bach (specialmente la Quindicesima, Canone alla quinta in moto contrario, Andante, con due bemolli in chiave) ed esplora con attenzione le campagne circostanti, scende nel «cañon» delle Terme di Stigliano, fa una puntata alle Scalette, risale tra le rovine di Monterano. Cosí per giorni e giorni, fermandosi solo per lavarsi i piedi dove il Mignone, o la Lenta, rallentando il loro corso, formano modesti laghetti che le popolazioni rivierasche chiamano giustamente «bottagoni». Piano Bill si lava i piedi nel Bottagone del Tartaro, nel Bottagone di Tommasino, nel Bottagone del Pecoraro (detto cosí dal giorno in cui un pastore vi annegò cercando di salvare una pecora: cosa che a Piano Bill, che detiene in incognito il record mondiale dei cinque metri a rana, non sarebbe accaduta). Ed ecco che un bel giorno egli arresta i cavalli con perfetta manovra e si chiede sorridendo: – Sbaglio, o questa musica è la *Stella di Novgorod*, suonata dall'orchestra di Piero Piccioni? No, non mi sbaglio. Dove c'è la *Stella di Novgorod* c'è la radiolina; dove c'è la radiolina c'è il sapone; dove c'è il sapone, c'è il ladro.

Seguendo la *Stella*, Piano Bill scopre l'ingresso di una tomba etrusca abbandonata al suo destino dalla Sovrintendenza alle Belle Arti e Antichità. Egli mette il piede a terra, senza scaricare il fedele pianoforte. Si accosta all'apertura. Origlia. Adocchia. Studia la situazione. Ma non la studia abbastanza bene: gli sfugge lo Sceriffo che se ne sta in agguato su una quercia e, da quel bugiardo che è, finge a meraviglia di essere in un altro posto. Attento, Bill! Niente da fare. Lo Sceriffo lo ha preso al laccio e si permette anche di sogghignare satanicamente: – Non darei un quartino di dollaro né un quartino di bianco secco per il tuo collo, Straniero. Il tuo pianoforte non ti è di molto aiuto in questo momento. Del resto io te l'ho detto piú volte: la musica è inutile, e se al posto di Bach fosse nata una capra, sarebbe stato molto meglio per il capraro.

Sentendo insultare il suo musicista preferito, Piano Bill prova una fitta al cuore.

– Ti farò rimangiare queste parole! – egli esclama.

Lo Sceriffo gli ride sulla testa. Poi balza dal ramo direttamente in sella al suo cavallo, come ha visto fare al cinema. Ma dalla tomba etrusca balza fuori un ardito giovinetto, che taglia la corda col suo coltello da boy-scout, munito anche di cavatappi, limetta per le unghie e accendino a gas. Cosí, quando lo Sceriffo dà di sprone e galoppa verso la Tolfa, si tira dietro, sí, la corda, ma alla medesima non è piú attaccato prigioniero veruno.

Il giovinetto fa entrare Piano Bill, i suoi cavalli e il suo fedele strumento nella tomba etrusca. Lo Sceriffo si accorge che la corda è leggera, si volta; vede solo una mucca che pascola dolcemente e si prenderebbe a calci per la rabbia, ma non ci riesce. Torna sui suoi passi, domanda i documenti alla mucca per essere certo che non si tratti di Piano Bill travestito da bovino allo stato brado. La mucca risponde educatamente: «Muuh!», che di sicuro vuol dire molte cose, ma lo Sceriffo non ne capisce nemmeno una.

Intanto, nella tomba etrusca, Piano Bill e il suo ardito salvatore si presentano.

– Io sono Bill l'Oriolese.

– Fortunatissimo. Io sono Vincenzino.

Dalle viscere della tomba si avanza un altro giovinetto. – Vincenzino anche lei? – domanda Piano Bill.

– No, io sono Vincenzina, – risponde una voce femminile. Sorpresa! Il giovinetto è una giovinetta! Ma allo sguardo esperto di Piano Bill non sfugge un particolare significativo: Vincenzina indossa una giacca a quadrettoni verde e viola, sdrucita in piú punti, che il cowboy ricorda di aver visto indosso a uno spaventapasseri...

– Lei fa uso del sapone deodorante Belnik? – domanda a bruciapelo.

La fanciulla risponde ingenuamente di sí.

– Quella radiolina è sua? – incalza con astuzia Piano Bill, indicando un apparecchio a transistor dal quale si diffonde un'aria di

Čajcovskij trascritta per «putipú» e «scetavajasse».

– È mia, – confessa Vincenzina. – Senza la radiolina, mi sentirei orfana.

– È dunque lei, – conclude Piano Bill, – la ladra di spaventapasseri.

– Piano con le parole, Straniero, – s'intromette Vincenzino. – Io ti salvo la vita e tu offendi la mia fidanzata! Piuttosto, visto che abbiamo un nemico in comune, perché non c'intendiamo?

Un punto interrogativo dopo l'altro, Piano Bill viene a sapere l'intera storia. Vincenzino e Vincenzina sono segretamente innamorati; ma su Vincenzina ha messo gli occhi lo Sceriffo, dandosi arie da Don Rodrigo; perciò essi si sono dati alla macchia, vivendo di bacche, radici e pesci pescati con le mani fra i ciottoli confusionari del Mignone.

Vincenzina è fuggita con la minigonna, la radiolina e il sapone deodorante; per fornirle abiti piú adatti a una fanciulla perseguitata e fuggiasca, Vincenzino deruba gli spaventapasseri.

– Comprendo, – dice generosamente Piano Bill, – ma perché piú di dodici?

– Ogni donna ha il suo punto debole, – gli confida Vincenzino.

Lo portano in un'altra parte della tomba, che è una bicamere senza servizi: ecco tutti i vestiti degli spaventapasseri appesi in fila, come in un guardaroba.

– Debbo pure aver qualcosa per cambiarmi, – si giustifica Vincenzina, abbassando le palpebre sugli occhioni. – Non posso mica uscire tutti i giorni e a tutte le ore con lo stesso abito.

– Piú che giusto, – riconosce Piano Bill, cuore di cavaliere.

Sul far della sera, dopo aver preso con Vincenzino gli opportuni accordi per smascherare lo Sceriffo, nemico dell'amore e della musica, egli abbandona la tomba, non senza raccomandare a Vincenzina di tener basso il volume del transistor.

– Anzi, – egli aggiunge, – prova per una volta ad ascoltare il Terzo Programma. È all'ordine del giorno un concerto del pianista Emil Ghilels, che eseguirà musiche di Scarlatti, Prokof'ev e Šostakovič: nulla di meglio per irrobustire lo spirito nell'imminenza dello scontro finale.

Cammina e cammina, giunto nelle vicinanze della Tolfa, egli lega i suoi cavalli a un castagno, nasconde il pianoforte dietro una mucca, si traveste da pellegrin che vien da Roma con le scarpe rotte ai piè, attraversa il paese in incognito e infila sotto la porta dello

Sceriffo un biglietto che dice: «Ti aspetto domani a mezzogiorno di fuoco per una sfida infernale. Piano Bill».

Torna sui suoi passi, fa il giro delle campagne per rimettere tutti gli spaventapasseri al loro posto e si ritira nella solitudine a provare sul suo fedele pianoforte *L'arte della fuga*, di Bach, che nessun pianista al mondo è mai riuscito a suonare da solo per intero.

– C'è odor di polvere, – dicono i contadini, rabbrividendo nei loro letti. – Piano Bill sta di nuovo provando *L'arte della fuga*. Ottimo, peraltro, il tocco.

A mezzogiorno meno cinque tutti i tolfetani si ritirano nelle loro case, sbarrano porte e finestre e buttano giú la pasta. A mezzogiorno meno tre lo Sceriffo compare a un'estremità della piazza, con una pistola per mano, altre due infilate nella cintura e una quinta nascosta sotto il cappello. A mezzogiorno meno uno, all'altra estremità della stessa piazza (guarda che combinazione!) compaiono l'Oriolese, il suo pianoforte, Vincenzino che tiene per mano Vincenzina e Vincenzina che tiene per mano il transistor. Piano Bill smonta da cavallo, scarica il pianoforte e lo spinge davanti a sé sulle apposite rotelle.

– Non vale! – grida lo Sceriffo. – Nelle sfide infernali non sono ammessi gli scudi!

– Ti faccio osservare, – replica Piano Bill, – che io non porto armi, perché sono contrario al fumo degli spari. Intendo affrontarti col mio pianoforte, da uomo a uomo.

Lo Sceriffo sghignazza, solleva una pistola, sta per premere il grilletto... Ma proprio in quel momento dal pianoforte esce un tema di tale forza che l'indegno rappresentante della legge sente una fitta alla milza, un'altra al piloro, una terza al pomo d'Adamo. Egli si porta le mani al collo, stramazza al suolo, si rotola nella polvere. I tolfetani aprono le finestre in tempo per sentirlo singhiozzare: – Basta! Basta! Confesso! Bach è grande, l'Oriolese è innocente, Vincenzina può sposare il suo primo amore che non si scorda mai!

Questo è quanto voleva sentirgli dire Piano Bill. Il resto s'immagina. I due giovinetti convolano a giuste nozze e vogliono essere accompagnati da Piano Bill.

– Suonerai per noi l'*Ave Maria* di Schubert, – dice Vincenzina.

Una smorfia di dolore si disegna sul volto del cowboy, tormentato dalle intemperie:

– Non posso, – egli mormora, – di Schubert, se proprio volete, vi suono la parte del pianoforte nel Quintetto della Trota...

Ma Vincenzina vuole assolutamente l'*Ave Maria*, perché prima di lei l'hanno avuta la figlia del sindaco, la figlia della maestra, sua sorella Carletta e sua cugina Rossana.

– Mi dispiace, – mormora con un fil di voce l'onesto cowboy. – È piú forte di me. Scusatemi, amici...

Piano Bill sprona il cavallo e si allontana al galoppo, per tornare alla sua solitudine... Ebbene va, va, solitario cowboy: che le acque irragionevoli del Mignone ti accompagnino quando suoni Mozart sul tuo fedele pianoforte, e perfino le nuvole attraversano il cielo in punta di piedi per non perdere nemmeno una biscroma di quella musica divina.

I misteri di Venezia
ovvero
Perché ai piccioni non piace l'aranciata

Il dottor Martinis, giovane esperto pubblicitario di belle speranze, va a Venezia con un carico di mangime per piccioni, travestito da mattonelle per pavimenti, e un incarico segreto della sua ditta, produttrice dell'aranciata Frinz. Egli pensa, giustamente: «Prima che Venezia venga inghiottita e digerita dalla Laguna, utilizziamola se non altro per fare la réclame a un prodotto tanto utile, particolarmente raccomandato ai fanciulli, alle persone anziane e agli arcivescovi».

Il dottor Martinis, una certa mattina, farà spargere il mangime in piazza San Marco, ma non a vanvera né alla rinfusa, bensí secondo un disegno prestabilito: quando i piccioni, attratti da quella ghiottoneria, si poseranno sulla piazza, essi formeranno una scritta della lunghezza di metri ottantaquattro, che dirà: «BEVETE FRINZ!» Tale scritta verrà fotografata dal dottor Martinis, che la sorvolerà personalmente in elicottero. La fotografia verrà pubblicata sui giornali di tutto il mondo e la gente dirà, in molte lingue: – Ah, finalmente si fa qualcosa per Venezia!

Tutto procede a meraviglia e senza scirocco. Il dottor Martinis assume in segreto numerosi portatori di mangime, facendo giurare loro sul tappo di una bottiglietta d'aranciata che manterranno il silenzio fino alla tomba e oltre: – Ricordate, – egli dice, – non una parola con vostra moglie, non una sillaba con il baccalà alla vicentina, non un sospiro col Ponte dei Sospiri.

La mattina fissata i portatori spargono il mangime sul pavimento della piazza, il dottor Martinis si leva in volo con il suo elicottero personale, i piccioni calano dal campanile, dalle cupole, dai tetti, da tutte le alture circostanti, si tuffano in picchiata e... E niente. Essi rivolano in fretta, borbottando sentenze incomprensibili, alle loro elevate residenze.

– Ma che fate? – grida il dottor Martinis. – Che scherzi sono questi, o inconcludenti volatili? Quello è mangime di ottima qualità, la ditta Frinz vi vuol bene, io stesso sono stato decorato dalla Protezione Animali perché ho salvato un piccione che stava per essere divorato da un soriano!

I piccioni non lo sentono neanche. Se lo sentono, non capiscono. Se capiscono, fanno i finti tonti.

Il dottor Martinis atterra con l'elicottero in mezzo alla piazza, provocando lo svenimento di due anziane signorine di Amburgo. Si precipita a raccogliere una manciata di mangime, ci tuffa il naso, l'assaggia con la punta della lingua e immediatamente se ne libera, sputazzando a est e a ovest.

– Tradimento! – egli esclama. – Il mangime puzza fortemente di Felibilina, l'ingegnosa sostanza studiata apposta per tener lontani i piccioni, in quanto procura loro incubi spaventosi, durante i quali si sentono circondati da migliaia di gatti affamati. Ma chi può aver avvelenato il mio mangime con detta sostanza?

Il dottor Martinis raduna i portatori di mangime e fa l'appello. Ne manca uno, chiamato Bepi di Castello.

– Ecco il traditore, – conclude Martinis, giudiziosamente.

– *Ciò*, – protestano i portatori, – Bepi un traditor? Ma non è vero: sono venuti a chiamarlo perché sua nonna ha il morbillo.

– È già la terza nonna che gli si ammala, *poareto*!

– Come, la terza?!? – domanda Martinis interdetto.

– Noi altri non sappiamo, – dicono i portatori, – però sappiamo che Bepi di Castello lo chiamano anche Bepi delle Tre Nonne.

Il dottor Martinis nutre un lieve sospetto che i portatori gli stiano dando da bere acqua per Tocai, ma non ribatte. Mentre si volta per andarsene, nota tra la folla un tizio che sogghigna satanicamente... Ma non è un Tizio qualsiasi! È il dottor Martonis, giovane esperto pubblicitario di belle speranze, che si trova a Venezia in incognito per realizzare un fantastico progetto: far scrivere ai piccioni sul pavimento di piazza San Marco, attirandoli con ghiotti e abbondanti mangimi:

«NON CHIEDETE UN'ARANCIATA, CHIEDETE
FRONZ! SI BEVE A QUALUNQUE ORA,
A QUALSIVOGLIA ALTITUDINE SUL LIVELLO
DEL MARE, DA SOLI O IN COMPAGNIA,
MILITARI METÀ PREZZO».

Egli calcola che per formare la scritta occorreranno cento quintali di mangime e trentanovemilaottocentoventi piccioni.

– Sei tu, Martinis? – dice Martonis, fingendo sorpresa, gentilezza e simpatia.

– Sei tu, Martonis? – ripete Martinis, con le stesse armi. I due rivali si stanno di fronte col sorriso sulle labbra e il bazooka sotto l'impermeabile.

– Mi trovo a Venezia, – spiega Martonis, – per ammirare i capolavori del Tintoretto nella Scuola di San Rocco.

Martinis non gli crede, ma si lascia offrire ugualmente l'aperitivo. Poi corre a ordinare dell'altro mangime per i piccioni. La mattina seguente va a ispezionare piazza San Marco e che cosa vede? Gli uomini di Martonis la stanno decorando con il loro mangime! Martinis sta per essere colto da un attacco di tonsillite, ma guarisce subito perché i piccioni si comportano con l'aranciata Fronz allo stesso modo che con l'aranciata Frinz: si tuffano, annusano appena e risalgono in disordine le azzurre valli dell'aria che avevano discese con tanto appetito.

Sorpresa! Anche il mangime Fronz puzza di Felibilina, l'ingegnosa sostanza che puzza di gatto e provoca incubi ai piccioni.

Martinis e Martonis si abbracciano, uniti nel dolore.

– Siamo stati traditi entrambi da terze persone, – essi esclamano tra i singhiozzi. – Qualcuno odia imparzialmente l'aranciata Frinz e l'aranciata Fronz.

I due giovani dottori, dopo essersi pagati a vicenda alcuni aperitivi per consolarsi (olive e patatine sono gratis), decidono di svolgere indagini comuni, per risparmiare sulle spese generali. I loro sospetti gravano, per il momento, su Bepi di Castello. Lo vanno a cercare e lo trovano all'osteria dei Tre Mori che beve vino bianco, perché non è ancora mezzogiorno e lui il vino rosso lo beve solo nel pomeriggio.

– Come stanno le sue nonne? – gli domanda educatamente il dottor Martinis.

– Una ha il morbillo, un'altra è in convalescenza e la terza è ormai completamente ristabilita, grazie.

– Come fa ad averne tre? – domanda il dottor Martonis, che non è al corrente.

– Non ha importanza, – risponde Bepi di Castello. – Del resto so già che loro sono qui per l'affare dei piccioni. Ma io non c'entro. Quella mattina mi sono dovuto recare all'osteria di Cannaregio per l'inaugurazione ufficiale di una damigianetta di Merlot.

– Menzogna! Il Merlot è rosso e lei alla mattina beve solo bianco.

– Ho fatto uno strappo alla regola. Ecco il certificato dell'oste... ecco le dichiarazioni firmate da dodici testimoni... Questo è il mio certificato di battesimo. Occorre altro?

Di fronte a tante prove d'innocenza, Martinis e Martonis battono in ritirata. Essi vagano a lungo senza nesso da un ponticello all'altro, confidandosi le loro pene.

– Dopo un tale smacco, – sospira il dottor

Martinis, – come tornare in ditta? Meglio cambiar mestiere. Da piccolo sognavo di fare il suonatore di campane: forse è la volta buona.

– Sí, – approva il dottor Martonis, – mi sembra un'ottima decisione. Io alleverò maiali selvatici.

– Perché selvatici?

– Perché il mangime se lo trovano da soli e al proprietario resta la semplice fatica di venderli e intascare i soldi.

Mentre fanno progetti per il futuro, scende di nuovo la sera. È fatta cosí, la sera: non sa far altro che scendere; bisogna compatirla.

Intanto è arrivato il nuovo carico di mangime per piccioni ordinato dal dottor Martinis dopo il suo primo fallimento. Gli scaricatori di mangime hanno ammucchiato i sacchi nella solita cantina affittata per la bisogna.

– Sai cosa facciamo? – domanda il dottor Martonis.

– No, non me l'hai ancora detto – risponde Martinis.

– Facciamo cosí: ci nascondiamo nella cantina e teniamo d'occhio i tuoi sacchi, cosí coglieremo sul fatto l'avvelenatore di mangimi.

– Ottima idea, che forse mi permetterà di riscattarmi e di esaltare come meritano i meriti dell'aranciata Frinz.

– Già, e dell'aranciata Fronz, che ne facciamo? L'idea è stata mia.

– Ma i mangimi sono miei!

Decidono che tireranno a sorte tra Frinz e Fronz: chi perde, cambierà mestiere. Cavano fuori un tappo Frinz e un tappo Fronz, ci stendono sopra la mano e giurano di rispettare lealmente i patti. Poi si nascondono nell'angolo piú buio della cantina, causando notevole disturbo a uno scarafaggio che si vede costretto a traslocare con tutta la famiglia.

Il buio non è cosí pesto come si dice: un po' di chiarore penetra da una finestrella che dà su un rio; si vede passare una gondola con il suo gondoliere, si vede passare un gatto in equilibrio sul cornicione, a un palmo dall'acqua nera e gravemente inquinata. Passa un altro gatto. Il terzo, invece di passare, penetra nella cantina, fa una passeggiatina tra i sacchi e se ne va. Arriva un altro gatto e ripete punto per punto le sue mosse. Arriva ancora un gatto, ne arrivano due, ne arrivano sette tutti insieme... Passano in ispezione i sacchi, li fiutano, ci si accucciano per pochi minuti e se ne vanno.

– Ne ho contati già ventinove, – sussurra il dottor Martinis, – e ancora non ho capito che cosa combinano.

– Non hai capito perché hai il raffreddore, – dice il dottor Martonis.

– Cosa c'entra l'odorato con l'intelletto?

– Certe idee, caro collega, vengono dal naso. Sai cosa ti dico?

– Dimmelo, e dopo ti dirò se lo so oppure no.

– Quei gatti vengono qua dentro solo per fare pipí. Hai capito adesso quante sono le ore? Questa cantina è il loro gabinetto. La fanno qua per non inquinare ulteriormente le acque della Laguna. A quanto pare i gatti veneziani hanno una squisita coscienza ecologica.

– Ma allora...

– Proprio cosí. Niente Felibilina. Nessun sabotaggio. Sono stati i gatti a conferire ai nostri mangimi (i miei stavano in una cantina come questa) la puzza che ha spaventato i piccioni e che noi abbiamo scambiata per un ingegnoso ritrovato della chimica moderna. Andiamo, quello che c'era da fiutare qua dentro l'abbiamo fiutato.

I due dottori tornano alla luce. Sorge l'alba, che è sempre bravissima a sorgere... non ha mai mancato una volta da quando esiste il mondo...

Martinis e Martonis vanno a fare quattro passi in piazza San Marco per respirare un po' di smog. Li ferma al passaggio una vecchina: – Vogliono dare da mangiare ai piccioni, *siori*? Cento lire al cartoccio.

– Come mai già in piedi, nonnetta? Ne girano pochi, di turisti, a quest'ora.

– Cosa vogliono, *siori*, alla mia età si dorme poco. Io lavoro anche di notte, sa.

– Davvero davvero?

– Ma sí, *benedeti*: di notte do da mangiare ai gatti. Ce n'è tanti, gatti, a Venezia, sa. E mi conoscono quasi tutti, vedono. E io ci voglio bene, ci parlo.

– E loro capiscono?

– Tutto capiscono, *siori*. Ogni cosa, *benedeti*. E io ci raccomando di andare d'accordo, l'igiene e la pulizia, tante cosette, *poareti*. Allora, *siori*, vogliono il becchime? Ne do tre cartocci per duecento lire; a chi compra cinque cartocci gli do anche i buoni punto: con diecimila buoni punto si ha diritto a un gatto.

I dottori Martinis e Martonis comprano tre cartocci a testa. Guardano la vecchina, la riguardano, la studiano come se fosse una materia di scuola, mettiamo la geografia. Martinis ha un sospetto.

– Come vi chiamate, buona donna?

– *Mi*? *Mi son* la nonna di Bepi di Castello.
– Ah...
– La prima o la seconda? – domanda a sua volta il dottor Martonis.
– La terza, *benedeto*.
– Come mai?
– Dunque, la prima è la madre di sua madre, la seconda è la madre di suo padre. E io sono la nonna di sua moglie. Sono una nonna acquisita, capiscono? Eh, cosa vogliono, *siori*, si fa quel che si può...

Martinis e Martonis la guardano con crescente sospetto. Cosí i giudici della Serenissima guardarono, un tempo, il povero Fornaretto. Cosí gli Inquisitori trapassarono con gli sguardi le povere streghe di una volta. Ma la vecchina, intascati i suoi soldini, si allontana per i canali suoi.

Intorno alla testa le svolano i piccioni a centinaia.

Dietro la gonna le camminano in fila, a coda ritta, centinaia di gatti, con migliaia di zampe di velluto.

Martinis e Martonis restano lungamente a bocca aperta. Poi finalmente, con un invitante fracasso di saracinesca, si apre il primo caffè.

Il professor Terribilis
ovvero
La morte di Giulio Cesare

Oggi il professor Terribilis è piú alto del solito. Gli succede sempre cosí nei giorni d'interrogatorio. Gli studenti misurano con sguardi di precisione la sua statura: è cresciuto di almeno venticinque centimetri. È cresciuto tanto che gli si vedono i calzini viola in fondo ai pantaloni marrone, e sopra i calzini una fettina di ciccia bianca, che di solito si tiene pudicamente sottocoperta.

– Ci siamo, – sospirano le masse studentesche, – era meglio se andavamo a giocare ai birilli.

Il professor Terribilis sfoglia i suoi fascicoli e annuncia: – Vi ho convocati qui per sapere la verità e di qui non uscirete né vivi né morti se non me l'avrete detta. Chiaro? Venga... vediamo un po' l'elenco degli imputati: Albani, Albetti, Albini, Alboni, Albucci... Bene, venga Zurletti.

Lo studente Zurletti, che è l'ultimo in ordine alfabetico, si afferra al banco per rimandare l'istante fatale e chiude gli occhi per avere l'illusione di trovarsi all'isola d'Elba a fare la pesca subacquea. Infine si alza, con la lentezza con cui si alzano le navi da settemila tonnellate laggiú nelle chiuse del Canale di Panama, si trascina verso la cattedra facendo un passo avanti e due indietro.

Il professor Terribilis lo trafigge in piú punti del corpo con occhiate incandescenti e lo punzecchia con numerose frasi pungenti: – Caro Zurletti, glielo dico per il suo bene: prima confessa, prima la rimetto in libertà. Lei sa d'altronde che non mi mancano i mezzi per farla parlare. Mi dica dunque in fretta e senza reticenze quando, come, da chi, dove e perché è stato ucciso Giulio Cesare. Precisi com'era vestito quel giorno Bruto, quanto era lunga la barba di Cassio e dove si trovava in quel momento Marco Antonio. Aggiunga che numero di scarpe portava la moglie del dittatore e quanto aveva speso quella mattina al mercato in mozzarella di bufala.

Sotto questa tempesta di domande, lo studente Zurletti vacilla... Le sue orecchie tremano... Terribilis gliele tagliuzza ripetutamente con parole taglienti...

– Confessi! – incalza il professore con voce incalzante, elevandosi di altri cinque centimetri (ora in fondo ai calzoni gli si vede quasi tutto il polpaccio).

– Voglio il mio avvocato, – mormora Zurletti.

– Niente da fare, amico. Qui non siamo né in Questura né in Tribunale. Lei ha diritto a un avvocato quanto a un biglietto gratis per le Azzorre. Lei deve solo confessare. Che tempo faceva il giorno del delitto?

– Non ricordo...

– Naturalmente. Immagino che lei non ricordi nemmeno se Cicerone era presente, se aveva l'ombrello o il cornetto acustico, se era giunto sul posto in taxi o in carrozzella...

– Non so nulla.

Zurletti si sta lievemente rinfrancando. Sente che la classe lo sostiene nei suoi titanici sforzi per resistere alla pressione dell'inquisitore. Alza la testa di scatto:

– Non parlerò!

Applausi.

Terribilis: – Silenzio, o faccio sgombrare l'aula!

Ma Zurletti ha ormai dato fondo alle sue energie e crolla svenuto. Terribilis fa chiamare un bidello, che arriva di corsa con un secchio d'acqua e lo versa sul volto del malcapitato. Zurletti riapre gli occhi, lecca golosamente l'acqua che gli scorre nei pressi delle labbra: oddio, è acqua salata! Non farà che accrescere le sue torture...

Ora il professor Terribilis è tanto alto che urta il soffitto con la testa e si fa un bernoccolo.

– Confessa, manigoldo! Sappi che tengo la tua famiglia in ostaggio!

– Ah, no, questo no...

– E invece sí. Bidello!...

Il bidello ricompare spingendo davanti a sé il padre di Zurletti, di anni trentotto, impiegato postelegrafonico. Egli ha le mani legate dietro la schiena. Tiene la testa bassa. Si rivolge al figliolo con un fil di voce che non basterebbe per dire «pronto» al telefono.

– Parla, Alduccio mio! Fallo per papà tuo, per tua madre che si strugge in lacrime, per le tue sorelline in convento...

– Basta cosí, – intima il professor Terribilis. – Si ritiri.

Zurletti padre se ne va, invecchiando a vista d'occhio. Ciocche di capelli bianchi si staccano dal suo capo venerando, cadono sulle mattonelle senza rumore.

Lo studente Zurletti singhiozza. Dal suo banco si leva allora lo studente Zurlini, sempre generoso, e con voce ferma proclama: – Professore, parlerò io!

– Finalmente, – esulta il professor Terribilis. – Mi dica tutto.

Le masse studentesche inorridiscono al pensiero di aver allevato una spia nel proprio seno.

Esse non sanno ancora di che cosa è capace il generoso Zurlini...

– Giulio Cesare, – egli dice, fingendo di arrossire per la vergogna, – cadde trafitto da ventiquattro pugnalate.

Il professor Terribilis è troppo stupito per reagire immediatamente. La sua statura decresce di svariati decimetri in un sol colpo.

– Come?!? – egli balbetta. – Non erano ventitre?

– Ventiquattro, professore, – conferma Zurlini senza esitazioni. Molti hanno mangiato la foglia e appoggiano la sua dichiarazione: – Ventiquattro, ventiquattro, Vostro Onore!

– Ma io ho le prove, – insiste Terribilis. – Conservo agli atti la celebre ode del nostro Poeta e Vate, là dov'egli descrive i sentimenti della statua di Pompeo nel momento in cui il generale cade ai suoi piedi sotto i pugnali dei congiurati. Eccovi la citazione esatta, come risulta dai verbali:

Pompeo nel gelido
marmo sta zitto,
ma tra sé gongola:
– Caio, sei fritto!
E mentre Cesare
cade ai suoi piè
i buchi éi númera:
son ventitre!

– Avete udito, signori: ventitre, – riprende Terribilis. – E non cercate di confondere le acque con confessioni artefatte.

Ma dalla classe si leva un sol grido:

– Ventiquattro, ventiquattro!

Tocca a Terribilis, ora, conoscere i tormenti del dubbio. Egli rimpicciolisce vieppiú. È già piú bassetto della professoressa di matematica, ma non si ferma lí: ecco che la sua fronte è all'altezza del piano della cattedra; per tenere d'occhio le masse studentesche, egli è costretto a salire sulla sedia, a saltellare sulla punta dei piedi.

Si commuove a quella vista lo studente Alberti, che ha un cuor d'oro e tutti dicono che prenderà il premio di bontà della notte di Natale.

– Professore, – egli esordisce, – la testimonianza della statua di Pompeo può essere agevolmente controllata. Basta fare una gita scolastica nell'antica Roma, assistere all'uccisione di Cesare e contare noi stessi le ferite con i nostri occhi personali.

Terribilis si aggrappa a quest'ancora di salvezza. Detto fatto si prendono i contatti con l'agenzia Crono-Tours, la classe s'imbarca sulla macchina del tempo, il pilota punta i suoi strumenti sulle Idi di Marzo dell'anno 44 avanti Cristo... Bastano pochi minuti per attraversare i secoli, che fanno molto meno attrito dell'aria e dell'acqua... Studenti e professore si trovano in mezzo alla folla che assiste all'arrivo dei senatori in Senato.

– È già passato Giulio Cesare? – domanda Terribilis a un tizio che si chiama Caio. Quello non capisce e si rivolge a un suo amico: – *Ma che vonno 'sti burini?*

Terribilis si ricorda in tempo che nell'antica Roma tutti parlano latino e ripete la domanda in detta lingua. Ma gli antichi romani non capiscono una sillaba e ridacchiano: – *Ma sse pò sape' da ddo ssò piovuti 'sti barbari? An vedi che robba, li pozzino acciaccalli... Vengheno a Roma e nun se sforzeno d'imparasse quarche parola in romanesco.*

È inutile, il latino della scuola, per parlare in latino, non serve piú del milanese o del caracalpacco. Gli studenti sghignazzano. Non tutti, però. Zurlini è preoccupatissimo.

Per salvare Zurletti egli ha detto una bugia. Ma ora si scoprirà che le pugnalate sono effettivamente ventitre; lui ci farà la figura del peracottaro e del sabotatore. Si beccherà come minimo quindici anni e tre mesi di sospensione. Che fare? Ecco lí Terribilis che si è preparato un foglietto con su disegnate ventiquattro palline e tiene pronta la matita: ad ogni pugnalata annullerà una pallina... Mambretti, il solito burlone, sta gonfiando ventiquattro palloncini: ne farà scoppiare uno ad ogni pugnalata e registrerà i botti col magnetofono... I secchioni si sono portati dietro il minicalcolatore giapponese a transistor... Braguglia impugna la cinepresa per filmare l'esperimento con pellicola pancromatica, doppio filtro e teleobiettivo.

«Mannaggia», pensa concisamente Zurlini.

In quel momento piove sulla scena una carovana di turisti americani, che fanno un gran rumore masticando *chewing-gum*. Fanno un baccano tale da coprire gli squilli di tromba dei fedeli di Vitorchiano, che annunciano l'arrivo di Cesare.

Piomba sul posto anche una troupe della televisione italiana, che deve filmare un documentario per la réclame dei coltelli da cucina. Il regista si mette a dare ordini: – Voi altri, congiurati, un po' piú a sinistra!

Un interprete traduce gli ordini in antico romanesco. Molti senatori si spingono per farsi riprendere, cominciano a fare «ciao ciao» con la manina. Giulio Cesare è scocciatissimo, ma non può farci niente; ormai non comanda piú lui. Il regista gli fa mettere un po' di cipria sulla pelata, altrimenti luccica. Poi le cose precipitano. I congiurati tirano fuori i pugnali e menano colpi da orbi. Ma il regista non è contento: – Alt! Alt! Vi ammucchiate troppo, non si vede piú spicciare il sangue. Daccapo!

– Che fregatura, – borbotta Mambretti. – Ho sprecato tredici palloncini per niente.

– *Ciak*, – dice una voce: – Morte di Giulio Cesare, seconda!

– Azione, – ordina il regista.

I congiurati ricominciano a menare, ma tutto va a monte perché un turista americano ha sputato in terra la sua gomma: Bruto ci scivola sopra e va a cascare tra i piedi di una signora di Filadelfia che si spaventa e perde la borsetta. Tutto da rifare.

«Mannaggia e rimannaggia», pensa febbrilmente Zurlini.

Ad un tratto la sua tortura ha fine. La classe al completo si ritrova nella macchina del tempo, in viaggio per il Secolo Ventesimo...

– Tradimento! – grida il professor Terribilis.

– Professore, – spiega il pilota, – il contratto era per un'ora, e un'ora è passata. Non è colpa della mia ditta se non avete visto tutto quello che volevate: chiedete i danni alla TV.

– Sabotaggio! – gridano le masse studentesche. Ormai se lo possono permettere, visto come si sono messe le cose.

– In ogni caso, – continua il pilota, – ho una buona notizia per voi: la ditta Crono-Tours vi offre in omaggio una sosta di cinque minuti nel Medioevo per assistere all'invenzione dei bottoni.

– Bottoni? – ripete Terribilis. – Ci offrite bottoni in cambio di pugnali? Ma che cosa volete che c'importi dei bottoni!

– Eppure sono importanti, – spiega debolmente il pilota. – Se non aveste i bottoni, vi cadrebbero i calzoni.

– Basta cosí, – ordina Terribilis. – Riportaci immediatamente ai giorni nostri.

– Per me, d'accordissimo, – fa il pilota. – Smonto prima e sono in tempo a farmi la barba per andare al cinema.

– Cosa va a vedere? – gli domandano le masse studentesche.

– *Dracula contro Topolino!*

– Formidabile! Professore, ci andiamo anche noi?

Il professor Terribilis riflette a vista d'occhio. C'è stato qualcosa di sbagliato in questa mattinata perversa. Ma che cosa? Forse nella penombra mistica di un cinematografo egli potrà meditare su questa domanda e trovare la risposta giusta...

– Vada per Dracula, – egli sospira.

Zurletti e Zurlini si abbracciano. Altri intonano canti di giubilo.

Ma Alberti, il cuor d'oro, lascia cadere fuori dalla macchina del tempo, mentre stanno sorvolando il secolo scorso, il suo coltello da caccia, con il quale era pronto a vibrare di nascosto la ventiquattresima pugnalata a Cesare, per impedire che la bugia di Zurlini venisse scoperta. È proprio un bravo ragazzo, Alberti: e se la notte di Natale gli daranno il premio della bontà, faranno molto, ma molto bene.

La guerra dei poeti
(con molte rime in «or»)

Il poeta Sorellini, che di primo nome fa Alberto e di secondo Alberto, è il capo di una banda di poeti che scrivono parole per le canzoni e di musicisti che scrivono canzoni per le parole. Egli è detto anche «il Poeta Piangente», un po' perché porta i capelli a salice, un altro po' perché compone sempre con le lacrime agli occhi, ancora un po' perché i suoi versi sono perennemente intonati alla piú umida malinconia.

Alberto Alberto è famoso in tutta Italia e nel Canton Ticino come inventore della rima «cuor-amor». Ma su questo punto occorre essere sinceri: quella rima in realtà egli l'ha rubata al poeta Osvaldo (che si chiama Osvaldo e basta), già capo di una banda rivale, ora non piú, perché Alberto Alberto da dieci anni lo tiene prigioniero in un'antica torre sulla riva del mare, onde impedirgli di rivelare il suo segreto.

Il segretario privato di Alberto Alberto, di

nome Oscar, sta per l'appunto tornando dalla torre antica, dove si reca ogni giorno per gettare al prigioniero un sacchetto di grissini, suo unico cibo (Osvaldo non mangia pane, per non guastarsi la linea).

– Come l'hai trovato? – domanda Alberto Alberto, asciugandosi gli occhi con un fazzoletto e facendosi dare da Oscar un fazzoletto di ricambio.

– Di ottimo umore, – riferisce Oscar. – Dice che sta per trovare un'altra rima con «cuor». Al massimo, dice, gli ci vorranno ancora diciotto mesi, ma se la sente già sulla punta della lingua.

– È un vero demonio! – esclama Alberto Alberto, inzuppando di lacrime anche il secondo fazzoletto, che subito Oscar ripone religiosamente. Lo zelante segretario, infatti, è il principale addetto ai fazzoletti del Poeta Piangente. Li ricama lui stesso, col monogramma del suo padrone. Se ne porta sempre appresso una scatola di dodici dozzine.

Ma anche Oscar ha il suo piccolo segreto: egli spreme i fazzoletti bagnati, ne raccoglie le lacrime in un fiasco, quindi le travasa in eleganti flaconcini che vende nascostamente, ma a caro prezzo, agli ammiratori ed alle ammiratrici del Poeta. Chi compra dieci flaconcini ha diritto a un supplemento di lacrime in artistica confezione spray o, a scelta, a un apribottiglie. L'acquisto può essere effettuato per posta e a rate. Si fanno spedizioni anche per l'America Latina.

– Scrivi, – ordina Alberto Alberto, che durante l'assenza di Oscar ha composto una nuova poesia, tutta a memoria. Egli detta e Oscar scrive:

Ti ricordi quella volta
cuor
che mi hai rubato il calzascarpe
amor
e poi sei fuggita
a Gualdo Tadino
con un elettrauto mancino
lalalà
io da quel giorno piango
lalalà
ma tu non torni da me
lalalà lalalà perché
almeno non mi rimandi il calzascarpe
per posta?
Lalalà lalalà...

Oscar è impressionatissimo: – Che versi, Maestro! Ma lo sa che con una canzone cosí lei può anche vincere il Festival di Busto Arsizio?

– Fa' entrare tutti, – dice Alberto Alberto, singhiozzando. – Darò personalmente lettura della mia composizione prima di scegliere il musichiere.

– Avanti la banda, – grida Oscar, spalancando la porta.

Entrano, in fila per due, trenta poeti e ventiquattro musicisti (i musicisti sono meno numerosi dei poeti ma sono piú grassi; il conto torna). Si schierano sull'attenti e intonano l'inno della banda, composto dallo stesso Alberto Alberto:

Cuor
amor
lalalà lalalà
cuor
lalalà
cuor cuor
lalalà lalalà
che tristezza mi fa
amor...

Stanno per attaccare la seconda strofa (la piú famosa, quella che comincia con «amor» invece che con «cuor») quando entra correndo e ansando un messaggero con la faccia di uno che vorrebbe trovarsi a Bogotà, o almeno in vacanza a Capri, e si getta ai piedi di Alberto Alberto, esclamando con voce rotta dal terrore: – Maestro, pietà! Che sarà mai di me?

– Non lo so, – risponde il Poeta Piangente, – non ne ho la minima idea. Che cosa è successo?

– Il prigioniero...

– Il prigioniero?

– È fuggito!

– Anche lui a Gualdo Tadino?

– Lo ignoro, Maestro. Il guardiano della torre antica riferisce soltanto che Osvaldo, servendosi dei grissini, ha scavato un cunicolo sotto la sua cella ed è uscito in aperta campagna, in direzione nord-est.

– L'avevo detto di non dargli dei grissini troppo secchi, – ricorda tristemente Alberto Alberto.

– Glieli davamo freschissimi, padrone, – spiega Oscar, – e in parte già masticati. Si vede che li conservava per farli seccare.

– Sono molto seccato, – annuncia Alberto Alberto, gettando un fazzoletto zuppo. – Sentiamo se il giornale radio parla di questa storica evasione.

Oscar accende la radio proprio mentre l'annunciatore dice, con la voce della festa: – Amici miei, una grande notizia! Dopo dieci anni di ritiro e di meditazione in luogo misterioso, noto a lui solo e a pochi intimi, è tornato tra noi il celebre poeta Osvaldo.

Ascolterete dalla sua stessa voce le parole della canzone da lui composta in questo fecondo decennio di solitudine.

Osvaldo (tossicchia, si raschia in gola). Attacca:

Amor
cuor
ricordo ancor
la triste sera che mi lasciasti
per fuggire a Molfetta
col ragionier Vincenzo Bartoletta
di anni ventotto e mesi tre
lalalà lalalà...

– Spegnete! – urla Alberto Alberto. – Quel demonio mi ha ingannato su tutta la linea: «Cuor-amor-ancor»... Aveva già trovato la nuova rima e mi faceva credere che gli mancavano ancora diciotto mesi di lavoro. Voi, altri, *rip-poso!*

I poeti e i musicisti, che per tutto questo tempo erano rimasti sull'attenti, si rilassano.

Alberto Alberto riflette: – C'è un profondo mistero in tutto ciò. Forse...

Ma un improvviso scoppio di voci ruba per sempre ai posteri il seguito di quella dichiarazione della piú alta importanza. Sale, dal giardino sottostante, un coro minaccioso:

Lalalà lalalà
perché perché
sei fuggita da me
senza lavar
la macchinetta del caffè
cuor amor lalalà...

La banda di Osvaldo circonda la villa del Poeta Piangente cantando il suo inno di guerra. Alberto Alberto non ha un attimo di esitazione: – Ai posti di combattimento!

Poeti e musicisti si appostano presso le porte e le finestre. Oscar batte le mani e i camerieri portano immediatamente numerosi paioli di polenta fumante, che viene sempre tenuta pronta per emergenze del genere. La polenta è fatta con la farina fina che, essendo impermeabile all'aria, si conserva bollente piú a lungo. Quando la banda di Osvaldo, guidata dal suo diabolico capo di ritorno dalla prigionia, viene all'attacco, i difensori le rovesciano addosso la polenta, cantando eroicamente l'inno composto da Alberto Alberto per questa evenienza, che dice:

Cuor amor
come scotta
la polenta stracotta
anche senza marmellata
lalalà lalalà...

L'assalto è respinto. Osvaldo e la sua banda si preparano a un lungo assedio. Bisogna sapere che la villa sorge alla periferia della città, sulle colline dell'Ovest. Il Poeta Piangente in persona ha scelto quel posto, di dove si ammirano meravigliosi e commoventi tramonti. Ora Osvaldo, animato dall'odio implacabile e dal desiderio di vendetta, innalza in giardino un immenso schermo di plastica bianca, che impedisce totalmente ad Alberto Alberto la vista dei tramonti in oggetto. Per ispirarsi egli è costretto a farsi proiettare da Oscar dei piccoli tramonti sulla parete del salotto: non è davvero la stessa cosa... La produzione di lacrime diminuisce sensibilmente... È difficile cantare amori infelici, tradimenti e abbandoni, fidanzamenti interrotti, fughe di amanti infedeli in Romagna o a Potenza, davanti a quei tramontini casalinghi di metri tre per due.

Della fame Alberto Alberto non si preoccupa: egli tiene in cantina una riserva inesauribile di farina gialla e salsicce. Ma i versi... i versi gli riescono sempre meno disperati... sempre meno malinconiosi... sempre piú asciutti... Un giorno egli giunge a dettare al fido Oscar una poesia che comincia cosí:

Cuor
raffreddor
mannaggia al locomotor...

Oscar ha un brivido di spavento. Poeti e musicisti, che si erano radunati per ascoltare, balzano indietro come se avessero calpestato per distrazione un cobra.

– Maestro, – bisbiglia Oscar, – non ha dimenticato nulla? Non le pare che manchi una parola... una parolina... che comincia per «a» e finisce per «or»?

– Ma cosa, – balbetta Alberto Alberto, – quale parolina?... *Ascoltator? Appaltator? Alfabetizzator?...* Bè, dimmela tu, senza farla tanto lunga.

– *Ventilator*, – suggerisce Oscar. E subito si accorge che voleva dire un'altra cosa. Egli rivolge uno sguardo supplichevole agli altri poeti e musicisti. Tutti si provano a suggerire:

– *Cavolfior...*

– *Scardassator...*

– *Servomotor...*

Macché. Non ce la fanno; La parola «*amor*» si sottrae ad ogni tentativo di pronuncia. La banda sta per piombare nel piú cupo sconforto, ma non fa in tempo, perché dal giardino la voce di Osvaldo grida, a mezzo altoparlante: – Protesto! State usando armi sleali e proibite dalla convenzione di Sanremo! State facendo ricorso all'ipnotismo! Io e i miei uomini non riusciamo piú a pronunciare quella parola di quattro lettere che comincia per «a», finisce per «or», ma non è né «*ascensor*» né «*aromatizzator*». Se non la smettete, farò bombardare la villa con quarantotto pianoforti a coda.

– Osvaldo, – risponde Alberto Alberto, – sappi che a noi succede la stessa cosa. Te lo giuro con una mano sul mio «*saldator*».

– Cosa? Volevi forse dire sul tuo «*trebbiator*»?

– No, no, volevo proprio dire sul mio «*viceispettor*».

A questo punto è chiaro che né Alberto Alberto né Osvaldo riescono piú a pronunciare la parola «*cuor*». E con «*amor*» sono due. Essi hanno perso la rima che ha fatto, pur fra tante lotte intestine, la loro fortuna!

La guerra viene immediatamente sospesa. Poeti e musicisti vengono spediti ai quattro punti cardinali a cercare le due parole perdute.

– Portatele qui, vive o morte!

Si frugano i cespugli, si esplorano le caverne, si rastrella il Parco Nazionale d'Abruzzo, si scalano le Alpi Cozie; ma «*cuor*» e «*amor*» non si trovano. Il fatto è che gli uomini non riescono nemmeno a chiamarle per nome. Ogni volta che ci si provano, essi riescono solo a gridare: «*Temporeggiator!*», «*Ultracondensator!*», «*Televisor!*», «*Buoni del Tesor!*»...

Le indagini durano sei mesi e centoventi giorni. Poi cessano per mancanza di fondi. Alberto Alberto e Osvaldo, infatti, dopo aver profuso tutte le loro ricchezze nelle ricerche, ridotti in miseria, si danno all'elemosina.

Le bande si danno al saccheggio. Oscar se la passa meglio, vendendo sui mercati le lacrime del Poeta Piangente (ne possiede ancora sette ettolitri), ma per smerciare quel prezioso liquido è costretto a sostenere, mentendo per la gola, che si tratta di una lozione per far crescere i denti.

Gli esperti sostengono che le parole «*cuor*» e «*amor*» non sono fuggite, non sono state rapite da estranei, non si sono sperdute nella macchia, ma si sono semplicemente consumate per il troppo uso, come le saponette quando si riducono a minuscole scaglie che scompaiono senza rimpianti nello scarico della vasca da bagno, tra un funesto gorgogliare di acque sporche.

Il dottore è fuori stanza

Quando la Ternana perde, in casa o fuori casa, il dottor Foresti va in ufficio di pessimo umore, chiama la fedele segretaria e le ordina: – Non ci sono per nessuno.

La verità è che egli è fuori di sé per la rabbia. Tanto fuori di sé che in ufficio, sulla poltrona davanti alla scrivania, rimangono solo i suoi vestiti, sotto la scrivania le scarpe con dentro i calzini; e il dottor Foresti propriamente detto si ritrova fuori porta, in un posto solitario, e vaga nudo per i campi, dando fuori la sua disperazione.

La fedele segretaria lo sa, ma non lo dice a nessuno. Essa lo ama alla follia e piuttosto che tradire il suo segreto si farebbe fare a pezzi. A chi fa ricerca del dottor Foresti, per telefono o con altri mezzi, essa risponde la pura verità: – È fuori stanza.

Dopo un'oretta o due il dottor Foresti ritorna nella stanza e nei pantaloni, chiama uno dopo l'altro gli impiegati da lui dipendenti e li strapazza senza pietà, terminando ogni volta la ramanzina con un terribile: – Fuori di qui!

Di piano in piano si sparge la voce che il dottor Foresti è fuori dei gangheri e tutti abbassano la testa pensosa sulle pratiche inevase.

Bisogna aggiungere che, indipendentemente dalle gesta della Ternana, il dottor Foresti riesce spesso, per i piú futili motivi, ad arrabbiarsi fuor di misura. E allora eccolo fuori di sé, fuori città, fuorivia, sempre piú fuori...

Ogni mattina capita in un posto fuori mano, fuori di questo mondo, dove si ritrovano tutte le persone che la rabbia fa uscire di sé.

– Si copra, – dice una voce forestiera, – non dia spettacolo.

Il dottor Foresti nota con sorpresa che gli altri sono piú o meno vestiti e accetta in prestito una vestaglia a fiori.

– Si vede che lei è nuovo, – dice un signore in divisa da generale in pensione. – Noi qui ci siamo organizzati, capisce? Abbiamo messo su una specie di guardaroba, cosí quando capitiamo qui non dobbiamo battere i denti per il freddo.

– Capisco, – dice il dottor Foresti. – Ma

che razza di... Volevo dire, che posto è questo?

– È il Paese di Fuori, no? Dia un'occhiata in giro.

Il dottor Foresti, con gli occhi di fuori per la meraviglia, scopre che il posto è popolatissimo. A parte le persone fuori di sé per motivi personali, ci sono numerosi campioni fuori forma, fiori fuori stagione, monete fuori corso, esemplari fuori commercio, discorsi fuori luogo, lettere fuori sacco, mobili fuori uso, artisti fuori concorso, uniformi fuori ordinanza, professori fuori ruolo, lepri fuori tiro, macchine fuori strada, malati fuori pericolo, musiche fuori programma e studenti mandati fuori dalla classe perché scrivevano bigliettini alle compagne. C'è anche qualche fuorilegge che di quando in quando movimenta l'ambiente, gridando:
– Fuori la borsa!

Gli altri non si scompongono. Per lo piú giocano a briscola o a tresette. Il dottor Foresti viene gentilmente invitato a fare il quarto a scopa, ma declina ringraziando perché non può stare fuori tanto.

– Torni presto, allora.

– Non mancherò.

Rientra nella sua giacca, chiama la fedele segretaria e le domanda se lo ha cercato nessuno.

– Sí, un tale venuto da fuori.

– Lo mandi fuori dalle scatole. Gli dica che fuori orario non ricevo.

La verità è che vuol restare solo per ripensare a quella gente del Paese di Fuori.

– Gente simpatica. Domani ci faccio un'altra scappata.

La mattina dopo è cosí contento della prospettiva di un nuovo viaggetto fuori di sé, che non riesce proprio ad arrabbiarsi. Prova con la fedele segretaria, prova con l'usciere, la cui vista di solito basta a metterlo fuori dalla grazia di Dio... Niente da fare.

– Sono fuori fase, – borbotta. Poi, per fortuna, comincia ad arrabbiarsi con sé stesso perché non è piú capace di arrabbiarsi, e in pochi minuti arriva al punto giusto... Ecco fatto.

– Salve, dottor Foresti, – dice una voce. – È tornato davvero, eh? Tanti lo promettono, ma poi se ne scordano.

Sono gli stessi amici di ieri, pronti per lo scopone scientifico. In piú c'è qualche calciatore fuori gioco e un ciclista giunto al traguardo fuori tempo massimo. Si sta tanto bene, là fuori. Si chiacchiera del piú e del meno, ma anche del Totocalcio. C'è lí un calzolaio di Torpignattara che ha vinto settecentonovantanove milioni con un «tredici».

– Cosa? – domanda il dottor Foresti. – Quanto???

– Settecentonovantanove milioni e rotti.

– Scusi l'indiscrezione, ma che ci sta a fare qui?

– Questo è il punto, caro dottore. Quando sono stato sicuro della vincita, capirà, non stavo piú nella pelle dalla contentezza. E mi sono trovato qui.

– Ma perché non torna laggiú?

– Ho appena finito di dirglielo: quella pelle è diventata troppo stretta per me, non riesco piú a infilarmela. Ora mi rimane fuori un piede, ora tutte e due le orecchie... Lei cosa mi consiglia?

– Potrebbe incassare la vincita per procura.

– Già, cosí i milioni se li gode mio cognato...

– Eppure, – dice il dottor Foresti, riflettendo, – un sistema ci sarebbe. Lei, mettiamo, fa incassare la vincita da una persona di sua fiducia. Questa persona gliela porta qui; però prima di consegnarle i soldi c'infila, mettiamo, una moneta da cento lire falsa. Lei conta i soldi, scopre la moneta falsa, ci si arrabbia tanto che la sua contentezza le passa, diventa magro al punto giusto e la sua pelle le va bene come prima.

– Lei è un fuoriclasse! – esclama il calzolaio di Torpignattara al colmo dell'entusiasmo. – Mi fido soltanto di lei! Eccole la schedina, incassi i settecentonovantanove milioni e i rotti sono suoi.

– Quanti sono i rotti?

– Sessanta lire.

– Ottimo, – dice il dottor Foresti. – Ne aggiungo altre venti e mi prendo un magnifico caffè.

Il calzolaio di Torpignattara consegna la schedina al dottor Foresti. Tutti applaudono. Il dottor Foresti si pavoneggia un po', col mento in fuori, poi torna in ufficio, chiama la fedele segretaria e le annuncia: – Signorina, vado fuori all'aperto, ma lei dica a tutti che sono al gabinetto.

– Posso dire che è in bagno? – domanda la fedele segretaria, abbassando gli occhi.

– Lei è una segretaria perfetta, – approva il dottor Foresti.

Egli corre in banca, si fa annunciare al direttore e in gran segreto gli domanda: – Ha presente lo sconosciuto vincitore dei settecentonovantanove milioni al Totocalcio?

– Ebbene? – domanda a sua volta il direttore, col cuore in gola. – Fuori il nome!

– Foresti Carmelo: sono io.
– Fuori le prove!
Il dottor Foresti mostra la schedina. Il direttore si mette sull'attenti, pancia in dentro e petto in fuori, abbraccia il vincitore e gli dichiara:
– Lei è il piú bel giorno della mia vita. Fattorini, presto: portatemi settecentonovantanove milioni e rotti. Glieli incarto dottore?
– Ho qui una busta di plastica della sartoria Eurilla, andrà benissimo. Arrivederci e grazie.
– Grazie a lei.
Il dottor Foresti per prima cosa si reca in incognito a comprare una fuoriserie e un fuoribordo; poi, senza lasciarsi fuorviare dall'improvvisa fortuna, va a casa, nasconde i soldi in frigorifero e torna in ufficio. Da questo suo comportamento risulta che egli ha già deciso di tagliar fuori il calzolaio di Torpignattara dall'usufrutto dei milioni. Ma per riuscire in questo intento gli occorrerà molta pazienza, evitare le arrabbiature, non correre il rischio di ricapitare – mai non sia! – nel Paese di Fuori, dove per lui sarebbe pianto e stridor di denti.
In altre parole, il dottor Foresti è costretto a diventare a vista d'occhio il capufficio piú tollerante che si sia mai visto: amorevole

con i dipendenti, incoraggiante con la fedele segretaria, democratico con i fattorini, dolce con gli uscieri e i motociclisti a mano, diplomatico con i visitatori. Un cambiamento da cosí a cosí.

Gli impiegati si passano parola: – Capufficio nuovo, vita nuova.

Comincia il dottor Carlini a entrare senza bussare. E lui, che in altri tempi lo avrebbe fatto volare fuori dalla finestra, non batte ciglio. Il dottor Carloni, quando il dottor Foresti lo fa chiamare, gli manda a dire che non ha tempo perché deve finire di fare le parole crociate; e lui rimane calmo e placido come il Piave al passaggio dei primi fanti il Ventiquattro Maggio. Il dottor Carlucci aspetta che il dottor Foresti esca in corridoio e gli strofina un cerino sulla schiena per accendersi la sigaretta. Foresti sorride con signorile indulgenza. Il dottor Carlozzi gli rompe due noci in testa, essendo momentaneamente sprovvisto di schiaccianoci, e Foresti scoppia addirittura a ridere, dicendo: – Ma lo sa che è un bel burlone, lei, dottor Carlozzi?

Da tutti i piani dell'immenso edificio arrivano impiegati, sia d'ordine sia di concetto, per fare esperimenti con il dottor Foresti. Piazzano fornellini a spirito sulla sua scrivania per cuocersi le uova al tegame, gli spengono le cicche nel barattolo della colla, si fanno prestare da lui le bretelle per fare la mezzafionda...

– Una pasta d'uomo, – dicono tutti, – d'una pazienza fuor del comune.

La curiosità dilaga. Impiegati che lavorano in altri quartieri della città chiedono mezza giornata di permesso per andare a vedere il dottor Foresti e accompagnano il cane a far pipí contro la sua poltrona. Da lontane province, con tutti i mezzi di trasporto, giungono pellegrinaggi di impiegati per scrivere parolacce col carbone sulle pareti del suo ufficio. E lui si mantiene calmo come il mare quando è calmo. Ma la sera, dopo l'ufficio, va in palestra a prendere lezioni di pugilato, per imparare a incassare senza arrabbiarsi. Tra un paio d'anni, quando il sarto avrà finito di fargli il vestito nuovo, fuggirà nelle Azzorre e nessuno saprà mai piú nulla di lui...

Ma un brutto giorno alla signora Teodora Mentuccia, che non c'entra niente con questa storia, che non si sa nemmeno se sia nubile o maritata (è proprio il colmo!), salta in mente che si è dimenticata di annaffiare i gerani del balcone e si affretta a rimediare a quella imperdonabile lacuna proprio nel momento in cui, sotto il citato balcone, sta passando il dottor Foresti. L'acqua fredda, precipitando dal balcone dopo aver bagnato i fiori, annaffia anche la testa del dottor Foresti, gli allaga la nuca e gli penetra nella schiena. Il dottor Foresti, che non era preparato a questo crudele colpo del destino, esclama: – Porca miseria!

Incapace d'intendere e di volere, egli si arrabbia tanto che in pochi secondi è fuori di sé... È fuori dal mondo...

– Ah, eccolo il nostro dottore! Fuori i soldi, mascalzone!

Il calzolaio di Torpignattara lascia a metà la partita e acchiappa per i capelli il dottor Foresti, mentre tutta la gente del Paese di Fuori sospende le sue attività per prender nota di quello spettacolo fuori dell'usuale.

«Ci sono cascato», pensa il dottor Foresti. E immediatamente decide di fingere indifferenza e *qui pro quo*.

– Ce l'ha con me? – egli domanda al calzolaio di Torpignattara. – Guardi che è fuori pista. Lei mi scambia con mio cugino, il dottor Sembianti. Succede a molti, perché ci assomigliamo come due biglietti da diecimila. Solo che lui è davvero un mascalzone, sempre dentro e fuori dalle patrie galere.

– Sono tre mesi che ti aspetto, – insiste il calzolaio di Torpignattara, – e non ti mollo, se non cacci fuori i quattrini.

Ne nasce un incontro di pugilato. Il dottor

Foresti ha un nuovo motivo per rallegrarsi di aver preso lezioni in questa interessante materia. Con un diretto alla mascella, doppiato da un colpo al fegato e da un calcio negli stinchi, egli mette rapidamente fuori combattimento il povero calzolaretto.

Ma gli astanti non sopportano la sua slealtà e lo sbattono fuori del Paese di Fuori... Il dottor Foresti si ritrova sotto il balcone della signora Mentuccia ad asciugarsi il collo e la nuca. Sorpresa: a due passi da lui, ecco il calzolaio di Torpignattara: la sconfitta per K.O. lo ha tanto rattristato che egli è potuto rientrare nella propria pelle ed ora reclama il suo avere, minacciando il dottor Foresti di denunciarlo come persecutore di calzolai. E aggiunge, per buon peso: – Guarda che ho sette fratelli, tutti e sette campioni laziali dei medio-massimi!

L'argomento convince il dottor Foresti ad arrendersi. Il calzolaio viene finalmente in possesso dei soldi, della fuoriserie e del fuoribordo. Ma egli è, in fondo, un cuor d'oro. Al dottor Foresti lascia generosamente i rotti, cioè le sessanta lire, e non gli nega una parola d'incoraggiamento: – Tieni, dotto': prova con questi a rifarti una vita. Ma stammi fuori dai piedi per sempre...

Il pescatore di ponte Garibaldi

Il signor Alberto, detto Albertone, piú che altro è un pescatore di città: pesca dal ponte Garibaldi, nelle acque del Tevere, o anche da altri ponti, con la stessa lenza, ma non sempre con la stessa esca, perché ci sono pesci che amano il fico, altri il grillo, altri il begattino. Il guaio è che al signor Albertone i pesci non vogliono bene per niente. Al suo amo non abboccano né inverno né estate. È lui quello che passa intere giornate appoggiato al parapetto in attesa che una scardola, o almeno una misera arborella, abbiano compassione del suo galleggiante e gli diano quello strappo che tira sott'acqua anche il cuore del pescatore verace. Passate in macchina sul ponte venendo dal viale Trastevere in direzione di via Arenula, alle otto di mattina; ripassate verso il tramonto, rifacendo lo stesso percorso in senso inverso; incaricate un amico di passare e ripassare sul ponte, a ore diverse, mentre voi siete a bottega, per controllare: Albertone è sempre là, di schiena. Forse verso sera per la delusione, è diventato un po' piú piccolo, ma è sempre lui.

A tre metri da Albertone un tizio, che del pescatore non ha nulla e al massimo potrebbe vendere enciclopedie a rate, non fa in tempo ad aprire l'archetto del mulinello e a lanciare in acqua il suo filo, saggiamente equilibrato dai piombini, che subito un cavédano accorre, per cosí dire, scodinzolando, a farsi tirar su con tutti i suoi riflessi argentati. È lungo quaranta centimetri, peserà due chili. Roba da non credere.

Il tizio lo infila nel cestino, aggancia un vermiciattolo qualunque e, tempo trenta secondi, viene su un barbo di diciotto etti. Sembra che sorrida di felicità, sotto i suoi quattro baffi.

– Quello lí i pesci lo portano proprio in palma di mano, – borbotta Albertone.

Anche il tizio borbotta qualcosa ad ogni lancio. Albertone si avvicina e sente che dice:

Pesce, pesciolino,
vieni da Giuseppino.

E il pesce abbocca immediatamente. Albertone non ne può piú.

– Scusi, signor Giuseppino, – dice, – non per sapere i fatti suoi, ma mi spiega come fa?

– È tanto facile, – risponde sorridendo il tizio. – Stia attento.

Lancia di nuovo, e di nuovo borbotta in fretta quella giaculatoria:

Pesce, pesciolino,
vieni da Giuseppino.

E viene su un'anguilla, che di regola da queste parti del Tevere non ci dovrebbero neanche stare.

– È proprio forte, lei, – dice Albertone sbalordito. – Mi lascia provare?

– Si figuri, – risponde il tizio.

Albertone prova, ma con lui il sistema non funziona.

– Dimenticavo, – dice quell'altro, – lei si chiama Giorgio?

– No, ma cosa c'entra?

– C'entra, sí, – dice quello là. – Io mi chiamo Giorgio, di soprannome Giuseppino. Ecco perché i pesci mi danno retta. Sa, con gli incantesimi bisogna essere precisi al cento per cento.

Albertone fa fagotto e va di corsa in via Bissolati, dove c'è la Crono-Tours, l'agenzia che organizza viaggi nel passato. Spiega il suo problema al dottore di turno. Quello fa un po' di conti con un cervello elettronico, li controlla con il pallottoliere, programma la macchina del tempo e dice:

– Ecco fatto, si accomodi su questa poltrona e buon viaggio. Un momento: ha già pagato?

– Naturale. Ecco lo scontrino.

Il dottore schiaccia un bottone e Albertone si trova nel 1895: l'anno di nascita di suo padre. Lui è un trovatello che sta al brefotrofio. Passa degli anni d'inferno finché esce, va a lavorare nell'Atac, dove lavora anche suo padre; diventano amici. Quando suo padre si sposa e gli nasce un figlio, Albertone lo consiglia per il suo bene:

– Chiamalo Giorgio, di soprannome Giuseppino. Vedrai che avrà fortuna.

Suo padre ci discute un po': – Veramente il mio primo figlio lo volevo chiamare Alberto. Però facciamo pure come dici tu.

Nasce il bambino e lo chiamano Giorgio, soprannominato Giuseppino. Va all'asilo, poi a scuola, eccetera. Tutto preciso come prima; la stessa vita che ha avuto Alberto, ma col nome differente. Albertone – che ora si chiama Giorgio, soprannominato Giuseppino – si scoccia un po' a rifare tutta quella strada. È come ripetere quaranta classi di seguito, perché lui deve arrivare all'età di quarant'anni e cinque mesi per tornare sul ponte Garibaldi al momento giusto. Però si consola all'idea che stavolta i pesci gli dovranno obbedire per forza.

Venuto il giorno, venuta l'ora – cioè lo stesso giorno e la stessa ora del primo incontro con il pescatore fortunato – l'ex Albertone corre sul ponte, monta la canna, mette l'esca, lancia il filo e intanto, col cuore in gola per l'emozione, sussurra spiccando bene le sillabe:

Pesce, pesciolino,
vieni da Giuseppino.

Niente.

Aspetta un po'.

Ancora niente.

Aspetta un altro po'.

Sempre niente. I pesci se ne infischiano in una maniera indecente. Tre metri sulla destra di Albertone-Giorgio-Giuseppino, quell'altro pescatore è lí che fa bollire il granturco su un fornelletto a spirito. Poi infila un grano ben cotto sull'amo, lancia e tira su una carpa di dodici chili, con le pinne rosse per la contentezza.

– Non vale, – grida l'ex Albertone. – Anch'io adesso mi chiamo Giorgio soprannоminato Giuseppino! E perché i pesci vengono solo a lei? Questa è un'ingiustizia bella e buona e io le faccio causa!

– Come!?! – dice quello là. – Non lo sa che la parola d'ordine è cambiata? Stia bene attento.

Prepara l'esca, lancia e, mentre l'amo scende in acqua, dice allegramente:

Pesce, pesciolino,
vieni da Filippino.

Ecco fatto. Viene su un'altra carpa, che dev'essere la gemella della prima, e se non pesa dodici chili pesa centoventi etti di sicuro.

– Ma chi è questo Filippino?

– È mio fratello, – dice il pescatore fortunato. – Lui fa il fisico atomico e non ha tempo di venire a pescare. Io, invece, di tempo ne ho tanto perché sono disoccupato.

«Mannaggia! – riflette Albertone. – E chi ce l'ha un fratello di nome Filippino? Io ho una sorella soltanto, e per di piú si chiama Vittoria Emanuela. Che fare?»

Torna all'agenzia Crono-Tours ed espone il suo problema al dottore di turno, il quale ci pensa un po', interroga il calcolatore elettronico e telefona a sua zia. Poi dice: – Vada pure a fare lo scontrino alla cassa.

Questa volta Albertone deve tornare indietro nel tempo di molti secoli, diventare amico del bis-bis-bis-bisnonno del suo bis-bis-bis-bisnonno, andare con lui in pellegrinaggio a San Jacopo di Compostella per aver occasione di dormire nella stessa osteria. Mentre dorme gli fa di nascosto un'iniezione e in seguito a questa iniezione la discendenza cambia un pochino per volta, tanto poco che nessuno se ne accorgerebbe. Però, quando dovrebbe nascere Vittoria Emanuela, al suo posto nasce invece un maschietto, al quale viene messo il nome di Filippo, con l'intesa di chiamarlo Filippino. Tutto ciò prende un po' di tempo, ma quando Albertone fa ritorno ai giorni nostri, egli ha un fratello di nome Filippino, di anni trentasei, cuoco a bordo di un transatlantico e tuttora scapolo.

Albertone acchiappa la canna, corre a ponte Garibaldi, fa un lancio di tale eleganza che un tranviere, dal finestrino del filobus numero Quarantatre, gli grida: – Bravo!

E intanto, naturalmente, egli recita la nuova parola d'ordine:

Pesce, pesciolino,
vieni da Filippino.

Macché. È come parlare al muro. Quell'altro, invece, pesca un'arborella, ma non si dà neanche la pena di staccarla dall'amo: la lascia in acqua un altro momentino ed ecco che all'esca viva abbocca, secondo il suo costume, un magnifico luccio-perca, che di regola dovrebbe starsene a nord della diga dell'Enel e, se ha sceso il Tevere fino a queste latitudini, dev'essere stato solo per fare un piacere personale al pescatore fortunato.

– Non vale! – grida Albertone, con una voce che provoca un ingorgo del traffico dall'Argentina a piazza Mastai. – Mi chiamo Giorgio, come lei; di soprannome faccio Giuseppino, come lei; ho un fratello di nome Filippino, come il suo: e badi che per averlo ho dovuto sacrificare mia sorella Vittoria Emanuela, alla quale volevo tanto bene. E con tutto ciò i pesci mi schivano come se avessi la scarlattina. Non mi dirà che è cambiata ancora la parola d'ordine!

– Ma certo che è cambiata! Adesso si deve dire:

Pesce, pesciolino,
vieni da Fra' Martino.

– E chi sarebbe questo Fra' Martino?

– È mio cognato, che sta nei francescani e

non ha tempo di venire a pescare perché deve girare per la questua.

– Adesso gliela do io la questua! – grida Albertone.

Balza addosso al pescatore fortunato, lo solleva sopra il parapetto e lo scaglia nel Tevere, invano rimproverato da una maestra in pensione, che ha visto tutto da un finestrino del filobus numero Settantacinque e si affaccia ad esclamare, piena d'indignazione: – Giovanotto, è questa l'educazione che le hanno insegnato a scuola?

Albertone non la sente. Non la vede nemmeno. Vede soltanto che laggiú, sotto il ponte, centinaia di pesci sollevano il pescatore fortunato e lo portano a riva, stando bene attenti che non si bagni la giacca. Purtroppo un'onda gli infradicia i calzoni, ma subito un pesce glieli asciuga col phon a batteria (nel Tevere non ci sono prese di corrente).

Il signor Giorgio Giuseppino viene su dalla scaletta, tutto sorridente, giusto in tempo per liberare Albertone dalla stretta di due guardie di Pubblica Sicurezza che lo stavano arrestando per lancio di pescatori dal ponte.

– Non è niente, – spiega il signor Giorgio Giuseppino. – È stato tutto uno scherzo, con una piccola sfumatura di equivoco. Giochi da ragazzi, capiscono?

– Ma quest'uomo vi voleva affogare vivo!

– Macché affogare, via, non esageriamo! Garantisco per il signor Albertone e apro una sottoscrizione per comprargli una canna da pesca nuova, perché l'altra gli è caduta nel fiume.

Questo è vero. Albertone, per la rabbia, ha buttato la canna ai pesci, che ci stanno giocando al giavellotto.

Insomma, tutto si accomoda. Le guardie vanno al cinema, i passanti si disperdono in varie direzioni, la circolazione riprende il suo fatale andare e, mentre Albertone se ne sta lí ingrugnato e silenzioso a guardarsi i bottoni del panciotto, il signor Giorgio Giuseppino ricomincia a pescare.

Pesce, pesciolino,
vieni da Fra' Martino.

E su pesci. Ormai vengono anche da Fiumicino per abboccare. Vengono dal mare, di corsa, cefali e triglie, sogliole e dentici, orate e spigole, ombrine, scorfani, tonni, sgombri, scambiandosi robusti colpi di testa e di coda per essere i primi a farsi prendere. Per tirar su una verdesca, il signor Giorgio

Giuseppino deve farsi aiutare da due tranvieri del Sessanta e da due baristi di piazza Sonnino. Però, quando sbuca da dietro l'Isola Tiberina, lanciando festosi zampilli, un balenottero che sembra il cugino di Moby Dick, il signor Giorgio Giuseppino fa segno di no col dito e si rifiuta di pescarlo, dichiarando: – Niente mammiferi! Solo pesci!

Albertone osserva e tace. È impazzito, ma non lo dice a nessuno, se no lo mettono al manicomio. Lo si può sempre vedere, su un ponte o sull'altro, di giorno o di notte, mentre spia pazzamente le acque del Tevere. Chi gli passa vicino lo sente borbottare:

Pesce, pesciolino,
vieni da Robertino...
Pesce, pesciolino,
vieni da Gennarino...
vieni da Ernestino... da Goffredino... da Giocondino... da Caterino... da Teresino... da Avellino... dalla battaglia di Borodino...

Egli cerca la parola d'ordine alla quale dovranno finalmente obbedire i pesci, animali evasivi quant'altri mai. Non sente il sole d'estate. D'inverno non avverte la tramontana, quando scende dalla Val Tiberina a spazzare i ponti, e anche i cavedani, nelle acque gelide, vorrebbero avere indosso un cappotto di pelliccia e in testa un colbacco di astrakan. Egli cerca disperatamente la parolina giusta. Ma non sempre chi cerca trova.

Mister Kappa
e
I Promessi Sposi

Ore dieci, lezione di lettere. Con il vecchio professor Ferretti le cose stavano in modo e maniera che gli studenti potevano effettivamente usare quei preziosi cinquanta minuti per scambiarsi da un banco all'altro, da una fila all'altra ed anche da un sesso all'altro, lettere di varia lunghezza sui piú affascinanti argomenti, quali: il cinema tedesco tra le due guerre, il gioco del calcio, lo sviluppo motoristico delle isole giapponesi, l'amore, il denaro (dare e avere, per pizza o maritozzo), il commercio dei fumetti, la concia dei tabacchi, eccetera. Ma le cose non stanno piú in quel modo né in quella maniera da quando sulla cattedra siede il professor Ferrini. Con lui lettere vuol dire letteratura, letteratura vuol dire *Promessi Sposi*: è l'ora fatidica dei riassunti.

Il professor Ferrini, armato di gatto a nove code, si aggira per l'aula e ispeziona i quaderni, onde accertarsi che contengano tutti il riassunto del capitolo dodicesimo dell'immortale romanzo e che detti riassunti non risultino copiati l'uno dall'altro come le immagini negli specchi.

Trema lo studente De Paolis, che ha riassunto solo il primo periodo e l'ultimo, riempiendo lo spazio intermedio con un brano di prosa giornalistica copiato in fretta dall'articolo di fondo del «Paese Sera». Sicché il suo testo, a un'attenta lettura, suonerebbe: «In questo capitolo l'Autore ricorda che il raccolto del grano, nel 1628, riuscí ancor piú misero che nell'anno precedente. Ma soltanto una battaglia che in qualche modo rimetta in discussione, nel paese prima ancora che a livello politico, gli attuali equilibri sociali può riaprire ai socialisti la strada del governo in condizioni tali, ecc. ecc.»

Per fortuna il professor Ferrini è rassicurato dalla vista della parola Autore e della sua legittima maiuscola iniziale e passa oltre. Ma eccolo lanciare un urlo: egli ha scoperto che lo studente De Paolis, per risparmiare carta e penna, ha falsificato il titolo del riassunto precedente, correggendo «*Capitolo Undicesimo*» in «*Capitolo Dodicesimo*». Il malcapitato riceve seduta stante sette colpi di frusta sui pantaloni. Senza un lamento, sia detto a suo onore.

Subito dopo il volto severo del professor Ferrini assume l'espressione del piú alto compiacimento.

– Ancora una volta, – egli proclama, agitando un quaderno della serie di Diabolik, – il mio piú alto elogio vada alla studentessa De Paolottis, per il suo impeccabile riassunto, come sempre completo ed elegante, acuto nell'analisi e sicuro nella sintesi, esemplare quanto alla punteggiatura. E lor signori sanno quanto il Manzoni tenesse alla buona punteggiatura.

La studentessa De Paolottis abbassa modestamente gli occhi sotto gli occhiali e si tocca una treccia in segno di graziosa confusione. Ragazzi e ragazze si congratulano con lei, mandandole mazzi di fiori e scatole di cioccolatini con il portachiavi incorporato. Sul portachiavi spicca il segno zodiacale della fanciulla, che per l'appunto è la Vergine. Delicato pensiero.

Quando però il professor Ferrini fa ritorno alla sua cattedra, lo si vede a un tratto sbarrare gli occhi per l'orrore e impallidire per il ribrezzo, come se avesse toccato una scolopendra. Con gesto nervoso egli accartoccia un foglietto e se lo ficca in tasca. Poi, accusando un attacco di polinevrite, abbandona l'aula e l'istituto, corre a prendere un taxi e si fa portare da Mister Kappa, il piú celebre e meglio pagato investigatore privato del Lazio.

Mister Kappa non gli dà nemmeno il tempo di parlare: – Aspetti, – egli raccomanda perentoriamente. – Si sieda lí. Cappello marrone, cravatta nera... Professore di ginnasio, vero? No, no, non risponda. Gli interrogativi riguardano me solo. Insegnante di lettere, direi, a giudicare dalle sue scarpe a punta rotonda. Qualcosa che riguarda *I Promessi Sposi*, vero?

– Come l'ha indovinato?

– Non l'ho indovinato. L'ho dedotto dal suo nervosismo. Mi dica tutto.

– Una lettera anonima accusa la studentessa De Paolottis, la migliore della classe, di copiare i riassunti dell'immortale romanzo da un quaderno segreto. Io non ci credo, però...

– Naturalmente. La verità prima di tutto. Si impone un'indagine. Cinquecentomila di anticipo e centomila al giorno per le piccole spese, le vanno bene?

Il professor Ferrini vacilla. Col suo stipendio... con quel che costa il prosciutto... Dovrà vendere anche il cappello per pagare il conto. Ma non importa: la verità prima di tutto, a qualunque costo.

– D'accordo. Aggiunga pure il caffè a mio carico.

– Grazie. Torni tra settantadue ore a quest'ora: mettiamo in pari gli orologi.

Uscito il professor Ferrini, che per l'emozione cade dalle scale e si rompe l'ombrello, Mister Kappa si mette immediatamente al lavoro. Egli si camuffa da venditore di enciclopedie per ragazzi a rate, si reca in casa della studentessa De Paolottis, che per l'appunto ha un fratello di nove anni e sei mesi, e mentre illustra alla famiglia riunita i pregi della Piccola Biblioteca per le Ricerche in trecentoquattro volumi e novantotto dizionari, piazza abilmente una telecamera da spionaggio in un vaso di fiori, un registratore sotto il telefono e un cervello elettronico a batteria dietro il ritratto del nonno in divisa da tenente dei bersaglieri. Indi concede alla famiglia otto giorni di tempo per decidere circa l'acquisto dell'enciclopedia e si nasconde in cantina nella caldaia del termosifone (egli è resistentissimo alle alte temperature). Grazie agli strumenti citati e agli accorgimenti descritti, nel giro di poche ore egli apprende:

primo, che in effetti la studentessa De Paolottis copia di volta in volta i riassunti da un quaderno segreto, che custodisce gelosamente nel cassetto dei *collant*;

secondo, che detto quaderno le è stato regalato per il suo compleanno da una cugina che vive a Bergamo Alta nella stagione bassa e a Bergamo Bassa nella stagione alta;

terzo, che la cugina in questione si chiama Roberta, ha diciannove anni, è bionda, alta centosettanta centimetri e ha gli occhi verdi. Proprio il suo tipo.

Senza por tempo in mezzo, Mister Kappa si precipita a Bergamo col suo aviogetto privato da combattimento, si presenta alla cugina Roberta, la fa innamorare di sé e in cambio dell'anello di fidanzamento ottiene completa confessione: – I riassunti dei *Promessi Sposi*? Ma sí, caro, figurati: ho comprato quel quadernino anni fa, per una stecca di sigarette americane, da un ragazzo di Cantú che lo aveva avuto in prestito da sua zia e non glielo aveva mai piú restituito.

– Il nome!

– E chi se lo ricorda: forse Damiano, forse Teofrasto.

– Ma no, il nome della zia.

– Angelina Pedretti, Busto Arsizio, corso Manzoni numero 3456, interno 789. Dove corri, adesso?

– Ho un piccolo affare da sbrigare. Torno domani a sposarti: mettiamo in pari gli orologi.

Mister Kappa vola a Busto Arsizio, sfidando il nebbione. Scova l'indirizzo di Angelina Pedretti. Interroga astutamente la portiera e apprende che «la signorina Angelina» è morta da pochi mesi per aver mangiato funghi avvelenati.

Che fare? Mister Kappa compra il giornale, sfoglia febbrilmente le pagine degli annunci pubblicitari e trova quel che cerca: «M.M.M. MEDIUM di prima classe. Comunicazioni garantite con l'Oltretomba. Non si accettano assegni».

La medium vive a Brisighella, in Romagna, e ama i dolci. Per cento chili di caramelle all'anice essa organizza prontamente una seduta spiritica nel corso della quale si presentano per primi lo spirito di Vercingetorige e quello di Carlomagno, che non interessano. Al terzo appello si presenta la signorina Angelina. È lei che fa ballare il tavolino. Sembra in vena di confidenze. I «toc toc» del tavolino sparano a mitraglia. Il marito della medium traduce.

– *I Promessi Sposi*? No, non li ho letti.

– Ma non ve li facevano studiare a scuola?

– Appunto!

– E allora, quel quadernino dei riassunti da lei prestato a suo nipote di nome Damiano o forse Teofrasto?

– No, non proprio Teofrasto: si chiama Gabriello.

– Dunque, li aveva fatti lei i riassunti?

– Per carità! Il quaderno io l'avevo avuto in eredità dalla mia povera nonna.

– Ah, ecco. Dunque, li aveva fatti la nonna.

– Mai piú! Anche a lei erano stati regalati.

– E da chi, per l'amore del cielo?

– Da un garibaldino con il quale era stata quasi fidanzata, prima di sposare il nonno. Uno che era stato con Garibaldi a Bezzecca. Un bel ragazzo, diceva la nonna. Però il nonno era piú bello e aveva una calzoleria a Vigevano. Cosí lei sposò lui e non il garibaldino.

Mister Kappa non si aspettava questo patriottico racconto, ma non perde la pazienza. Dice alla medium: – Domandi un po' alla signorina Angelina se può fare una piccola ricerca, trovare questo garibaldino e farlo venire qui a testimoniare.

– Proverò, – risponde la signorina Angelina, – ma ci vorrà del tempo. Siamo in tanti da questa parte e c'è una tal quale confusione... Datemi almeno cinque minuti.

Mister Kappa e la medium si accendono una sigaretta, ma non fanno nemmeno in tempo a finirla che la medium cade di nuovo in *trance*, mormorando: – C'è qualcuno, c'è qualcuno...

– Signorina Angelina, è lei? – domanda Mister Kappa.

– No, – risponde chiaramente una voce baritonale.

– Che meraviglia, – commenta il marito della medium. – Non serve piú nemmeno il tavolino, adesso arrivano direttamente le voci.

– Sei il garibaldino? – domanda la medium.

– Sono, – risponde la voce, – il segretario personale del senatore Alessandro Manzoni.

– L'immortale autore dei *Promessi Sposi*? – esclama Mister Kappa, lasciandosi cadere la cenere sul gilè per l'emozione.

– Che meraviglia, – dice il marito della medium, – un senatore!

– Sua Eccellenza, – prosegue la voce, – m'incarica di avvertirvi che quei riassunti li ha scritti lui, di suo pugno, per aiutare un nipote di sua moglie in difficoltà con il professore di lettere.

– Dunque, – si affretta a dedurre Mister Kappa, con la sua solita acutezza, – il quaderno segreto che il garibaldino regalò alla nonna e attualmente è in possesso della studentessa De Paolottis è, nientemeno, un autografo manzoniano d'inestimabile valore?

– Nemmeno per idea, – risponde il segretario personale. – Si tratta di una semplice copia. Sua Eccellenza ordinò al nipote di fare dodici copie dei riassunti e di bruciare l'originale. Il nipote regalò le dodici copie ai suoi migliori amici, ciascuno dei quali, in obbedienza alle disposizioni di don Alessandro, fece altre dodici copie. E cosí via.

– Che meraviglia! – esclama il marito della medium. – Allora è stato questo signor Manzoni a inventare la catena di Sant'Antonio!

Mister Kappa sprofonda in una lunga meditazione, al termine della quale domanda allo spirito: – Sbaglio, o al momento attuale dovrebbero essere in circolazione in Italia almeno sessantaduemilaottocentoventinove copie del famoso quaderno?

– Esatto, – conferma lo spirito. – Ma tutto ciò deve restare un segreto. Non una parola con le autorità scolastiche e i giornalisti. Ordine di Alessandro Manzoni. Intesi? Passo e chiudo.

Mister Kappa si accascia al suolo. Il caso è tecnicamente risolto. Ma i fatti vanno molto al di là della lettera anonima ricevuta dal professor Ferrini e oltrepassano, per cosí dire, la gentile personcina della studentessa De Paolottis. Nella mente di Mister Kappa si svolge un mortale duello tra due contrastanti doveri: quello di dire la verità al cliente che paga e quello, altrettanto terribile, di rispettare la volontà del Poeta che esige un silenzio di tomba sull'accaduto. In seguito a tale duello la testa di Mister Kappa s'infiamma. Gli viene un'emicrania che basterebbe mezza a far impazzire un bufalo. Allora prende due aspirine e gli passa.

Paga la medium, corre a Bergamo a sposare Roberta, la porta a Roma col suo aviogetto matrimoniale e arriva in ufficio che mancano appena tre minuti all'appuntamento col professor Ferrini. Per centottanta secondi Mister Kappa continua a domandarsi: – E ora, cosa gli dico a quello?

Quando scocca l'ora giusta bussano alla porta... ma non è il professor Ferrini. È un fattorino che reca una lettera di suo pugno. La lettera dice: «Esimio Mister Kappa, la prego di sospendere ogni indagine. La studentessa De Paolottis, per un moto spontaneo del suo cuore generoso, mi ha confessato l'innocente truffa dei riassunti. Però non ho saputo punirla, avendo la notte precedente sognato Giuseppe Garibaldi che mi fissava con alquanta severità e mi diceva: "Come pretendi tu che un ragazzino qualunque possa dire in poche righe ciò che un grande scrittore ha potuto dire solo in molte pagine?" Trovo che l'Eroe dei due mondi ha, come sempre, perfettamente ragione. Trattenga pure l'anticipo. Suo obbligatissimo Guidoberto Ferrini».

Crunch! Scrash!
ovvero
Arrivano i Marziani

Una bella mattina arrivano i Marziani. Prima volano su Roma con i loro dischi d'argento, diffondendo, in segno di amicizia, una dozzina di madrigali di Gesualdo da Venosa, tra cui *Caro, amoroso neo* e *Gelo ha Madonna in seno* (parole di Torquato Tasso) alternati a canti popolari e della malavita, quale *A tocchi a tocchi la campana sona*. Quando pensano di essersi guadagnati un'accoglienza festosa, atterrano al Circo Massimo, dove c'è piú posto che in piazza di Spagna e dove accorre subito il vicequestore Fiorillo, al comando di settemila camionette.

I dischi sono tre. E tre marziani mettono la testa fuori delle cupolette. Sono di un bel verdino primavera e hanno le antenne in fronte, proprio come la gente se li immagina. Però non è vero che sono piccolini: anzi, sono alti circa tre metri e cinquanta. Indossano delle tuniche gialle, ornate di ricami folcloristici abbastanza simili a quelli in uso in Calabria nel secolo scorso. Stranezze del cosmo. Uno dei marziani, nel venir su, picchia la testa nel coperchio della cupola. Subito dalla sua testa esce una nuvoletta con su scritto: «*Crunch!*»

– Quella dev'essere la loro bandiera, – commenta il brigadiere Mentillo.

– E allora quell'altra, che cos'è? – domanda sotto i baffi il vicequestore Fiorillo.

Difatti dalla testa del marziano è uscita un'altra nuvoletta, con su scritto: «*Erk!*»

– Eh, per forza, – commenta un ragazzino che, non si sa come, si è infilato tra le settemila camionette.

– In che senso, per forza? – s'insospettisce Mentillo.

– Anche Paperino, quando lo zio Paperone gli ammolla una tortorata sulla zucca, fa «*Erk!*»

– Su, vattene a scuola, – ordina il dottor Fiorillo al ragazzino.

– Non posso, – risponde il ragazzino. – Ci ho il turno di dopopranzo.

Intanto i tre marziani, per accentuare il senso di pace e concordia, si mettono ad applaudire. E anche dalle loro mani escono delle nuvolette, quanto mai eleganti, con su scritto, tutto in stampatello: «*Clapp! Clapp!*»

Poi uno dei tre, quello che ha battuto la capocciata, fa segno che vuol parlare. Dalla

sua antenna di destra esce una nuvoletta sulla quale gli astanti leggono, chi correntemente chi sillabando, le seguenti parole: «Salve! Come vedete siamo Marziani e siamo venuti con intenzioni piú che altro affettuose. Dunque, presentiamoci. Io sono il comandante AB17».

Quando tutti hanno finito di leggere, la nuvoletta scompare. Strano, però: la voce del marziano non si è sentita per niente.

– Buongiorno, – risponde a fin di bene il vicequestore. – Io sono il dottor Fiorillo.

Tre nuvolette compaiono sulle tre teste marziane: «Cosa avete detto?»

– Che sono il dottor Fiorillo, in rappresentanza del signor questore.

I marziani si consultano rapidamente, mentre nelle loro nuvolette si legge: «*Mumble... Mumble...*»

– Ma che fanno? – domanda il brigadiere Mentillo.

– E non lo vede? – ribatte il ragazzino. – Stanno riflettendo. Anche Paperino...

– Senti... – comincia il dottor Fiorillo.

Ma non può portare a termine la sua dichiarazione, perché i marziani stanno battendo dei colpetti con le mani sui loro dischi per richiamare la sua attenzione. Dai punti in cui le mani hanno toccato il metallo escono numerose nuvolette, che recano scritto: «*Spot! Stack! Thump!*»

« Insomma, – dicono ora le nuvolette dei marziani, – perché non rispondete? Vi credevamo piú gentili... *Glab!*»

– Mannaggia, – dice il dottor Fiorillo, in rappresentanza del signor questore.

Le nuvolette insistono : «Non vediamo le vostre nuvolette... *Sigh!*»

– Sono un po' depressi, – osserva il ragazzino, – altrimenti avrebbero detto «*Gosh!*» o «*Sob!*»

Il dottor Fiorillo riflette su questo strano messaggio: – Le nostre nuvolette! Vuoi vedere che...

Di colpo la sua intelligenza deduttiva, esercitata in anni di indagini su ogni sorta di delitti, gli fa intravedere la verità: i marziani parlano a fumetti e capiscono solo i fumetti...

Il vicequestore si fa dare un pezzo di carta, ne ritaglia una nuvoletta su cui scrive: «Aspettate un momento». E se l'accosta alla bocca. Dalle astronavi risponde uno scoppio festoso di nuvolette su cui gli agenti delle settemila camionette, i centomila romani che si sono raccolti nei paraggi e il ragazzino già piú volte citato, leggono, alcuni mentalmente, altri producendo un diffuso brontolio di tuono: «Finalmente!» – «*Clapp! Clapp!*» – «Vi siete decisi a parlare» – «*Gulp!*» – «*Smash!*» – «*Yaooie!*» Da una delle nuvolette viene fuori la testa di un cagnolino marziano, anche lui con le sue antennine, anche lui col suo bel fumetto, che abbaia di gioia: «*Yap! Yap! Yark!*»

Intanto sono arrivati gli esperti della polizia scientifica, il ministro delle comunicazioni e quello dei trasporti, alcuni professori universitari, una dozzina di monsignori, centoventotto giornalisti, un sindaco, un signore che non è nessuno, ma riesce a infilarsi tra le autorità perché ha un pizzo molto autorevole. Si cerca disperatamente qualcuno che sappia parlare a fumetti, ma non si trova.

– Peccato, – dice il professor De Mauris, docente di linguistica e suonatore di strumenti a percussione. – La lingua dei fumetti io la leggo e la scrivo, ma non la parlo. Cosa volete, nelle nostre scuole, nelle ore di lingue straniere, si fanno molti esercizi di grammatica, ma quasi mai conversazione.

– È vero, è vero, – approvano i presenti.

– Anch'io leggo l'inglese, ma non lo parlo... Io scrivo il cabardino-balcarico, ma non lo leggo... Io ho una buona conoscenza letteraria dello swahili, ma non lo capisco...

Bisogna rassegnarsi a comunicare con i

cartelli. Arriva un agente, che il dottor Fiorillo ha mandato in cartoleria a comprare cinquanta chili di cartoncino bianco e dieci paia di forbici. Tutti lavorano a ritagliare nuvolette. Uno sceneggiatore cinematografico, particolarmente bravo nei dialoghi, si tiene pronto con il pennarello. Cosí, botta e risposta, si viene a sapere che si tratta di un deplorevole equivoco spaziale. I marziani avevano ricevuto da un loro agente segreto, inviato sulla Terra nel 1939, alcune copie di un giornalino a fumetti e si erano fatta l'idea che i terrestri parlassero con le nuvolette...

– Sapeste che fatica, – raccontano, – imparare a parlare a questa maniera! E tutto per niente. *Urgh!*

Il dottor Fiorillo, a mezzo cartello, domanda se hanno anche loro la voce. Per tutta risposta i tre marziani si mettono a cantare l'inno marziano: una cosa molto polifonia barocca, un po' sul tipo del *Magnificat* di Bach. I romani applaudono. Purtroppo si sente il rumore dell'applauso, ma da quelle migliaia di mani sbattute l'una contro l'altra non esce nemmeno l'ombra di una nuvoletta.

– Nun ce sapemo fa'... – commenta tristemente il ragazzino.

A un tratto si vede il cagnolino dei marziani, che fa: – *Sniff! Sniff!*

– Ha fiutato qualcosa, – dice il vicebrigadiere Mentillo, che nei ritagli di tempo legge i fumetti in busta chiusa, vietati ai minori di diciotto anni.

Un cagnetto terrestre guizzando tra migliaia di scarpe, si è portato proprio sotto le astronavi e abbaia con gran clamore.

– *Wuah! Wuah!* – risponde la nuvoletta del cane marziano.

Il cagnetto resta perplesso un momento, perché non se l'aspettava. Poi anche dal suo muso viene fuori come uno sbuffo di vapore bianco su cui compaiono alcune lettere tremolanti: – *Grrr! Grrr!*

– È infuriato, – traduce il professor De Mauris a monsignor Celestini.

– *Yap! Yap!* – insiste amichevolmente il marziano.

Il cagnetto «de noantri» finalmente si lascia convincere e risponde a tono: – *Yap! Yap!*

– *Yap Yap* significa *Bau Bau*, – traduce il professor De Mauris ai giornalisti che prendono appunti.

– In marziano?

– Ma no!... In fumettese. In marziano, se le mie informazioni sono esatte, *Bau Bau* si dovrebbe dire *Krk Krk*.

Tra i due cagnoli s'instaura una fitta conversazione di nuvolette. Il ragazzino di cui sopra e altri diciottomila ragazzini, che si sono infilati tra le gambe delle forze dell'ordine, ci si divertono tanto che scoppiano a ridere. Ma non in italiano, bensí in fumettese pure loro. Sopra le loro teste scoppiettano allegramente minuscoli cirri, nembi, cumuli e strato-cumuli, nei quali tutti (tranne gli analfabeti) leggono: «*Yuk! Yuk! Oh-Ah!*»

Una bambina emette per errore anche un paio di «*Ulk!*», ma subito si corregge, perché quella è l'esclamazione tipica di chi sta per perdere l'equilibrio e cadere in un burrone; ma al Circo Massimo non ci sono burroni.

Il dottor Fiorillo riflette in rappresentanza del signor questore: – Questi marziani ci stanno corrompendo i bambini...

E non si accorge che anche dal suo cappello sta uscendo un nuvolone temporalesco, nel quale gli astanti, con somma meraviglia, leggono: «*Mumble! Mumble!*»

Il vicebrigadiere Mentillo, entusiasta per l'abilità del suo superiore, vorrebbe gridargli «Bravo!», ma non ce la fa a mettere in movimento le corde vocali. Dal naso, invece, gli esce un cirro a zaffo, con su scritto: «*Snap! Snap!*»

La poca pratica gli ha fatto confondere la parola «bravo» con il tipico rumore di persona che fa schioccar le dita (da notare, però, che SNAP! è anche il rumore prodotto da una cinta metallica che si schianta, come ben dice Gioachino Forte nel suo dizionario fumettese). Ma imparerà, imparerà. Tutti stanno imparando, senza il minimo sforzo, a produrre formazioni nuvolose istoriate da lettere dell'alfabeto. Il professor De Mauris è cosí bravo che quando gli si stacca un bottone riesce a farsi uscire dalla giacca l'apposita nuvolina, che dice, senza sbagliare: «*Spot!*»

– Dev'essere un fatto di suggestione collettiva, – osserva monsignor Celestini, emettendo, per ragioni di ufficio, una nuvola in forma di aureola.

Un gran silenzio è calato sul Circo Massimo negli ultimi istanti. Tutti parlano a fumetti. Anche quelli che leggono i fumetti degli altri non li leggono piú con la voce, ma con un fumetto. Le settemila camionette, che secondo gli ordini ricevuti avevano mantenuto i motori accesi, lasciano uscire dai cofani e dagli scappamenti bianche nuvolette, su cui si legge: «*Vroop! Vroop!*»... che è, per l'appunto, e al di là di ogni dubbio, il rumore di un motore acceso di una macchina ferma. Si sa che se la macchina viaggiasse a centonovanta all'ora, farebbe invece: «*Vroom!*»

– Adesso possiamo parlare, – fumettano i marziani.

– Dite la verità, – risponde a nuvoletta il vicequestore Fiorillo. – Avete usato qualche gas per paralizzarci le corde vocali.

– Ma quale gas, – ribattono, nuvola per nuvola, i marziani. – Si vede che il fumettese ce l'avevate sulla punta della lingua che aspettava di uscire.

Cosí, un fumetto dopo l'altro, cominciano le trattative pacifiche. I marziani e le autorità si trasferiscono alla Farnesina. I dischi volanti vengono presi in consegna da un posteggiatore abusivo, oriundo di Castellammare di Stabia. La folla si disperde fumettando e portando il contagio di casa in casa, fino al Tiburtino Terzo e a Casalotti. I campanelli imparano rapidamente a fare «*Ring!*», le locomotive in corsa a tirarsi dietro un fumettone volante che dice «*Fiuuuuu!*», nei bar di via Veneto il seltz, schizzando dal sifone, fa il suo bravo «*Frrr!*» e i ragazzini che si vedono mettere davanti la solita minestra, emettono, in segno di disgusto, un eloquente «*Cough!*», senza dimenticare il punto esclamativo. Cosí si beccano un paio di schiaffoni a fumetti: «*Ciaf! Ciaf!*»

S'intende che il governo ne approfitta immediatamente per dichiarare il fumettese «lingua di Stato» e per abolire la libertà di parola. Quei pochi che vogliono continuare a parlare con le parole, invece che con i fumetti, si debbono riunire di notte nelle cantine e parlare sottovoce, altrimenti vengono arrestati «per schiamazzi notturni».

Pareva tanto comodo e bello che le uova, rompendosi sull'orlo del tegamino, producessero soltanto una bollicina con su scritto «*Splif!*», o «*Scrash!*», secondo che fossero di giornata o conservate. Si è poi vista la fregatura.

E quanti sono quelli che insistono a voler parlare facendo rumore, invece che fumo? Non si sa. Ma speriamo tanti.

La bambola a transistor

– Allora, – domanda il signor Fulvio alla signora Lisa, sua moglie e al signor Remo, suo cognato, – che cosa regaliamo a Enrica per Natale?

– Un bel tamburo, – risponde prontamente il cognato Remo.

– Cosa?!

– Ma sí, una bella grancassa. Con la mazza per picchiarci sopra. Bum! Bum!

– Dài, Remo! – dice la signora Lisa (per la quale però il signor Remo non è un cognato, ma un fratello). – Una grancassa tiene troppo posto. E poi, chi sa cosa direbbe la moglie del macellaio.

– Sono sicuro, – continua il signor Remo, – che a Enrica piacerebbe moltissimo un portacenere di ceramica colorata a forma di cavallo, con intorno tanti portacenerini piccini piccini, anche loro di ceramica colorata, ma a forma di caciocavallo.

– Enrica non fuma, – osserva severamente il signor Fulvio. – Ha appena sette anni.

– Un teschio d'argento, – propone allora il signor Remo, – un portalucertole d'ottone, un apritartarughe a forma di angioletto, uno spruzzatore di fagioli a forma d'ombrello.

– Dài, Remo, – dice la signora Lisa, – parliamo sul serio.

– Va bene. Sul serio. Due tamburi: uno in *do* e uno in *sol*.

– So io, – dice la signora Lisa, – quello che ci vuole per Enrica. Una bella bambola elettronica a transistor, con la lavatrice incorporata: una di quelle bambole che camminano, parlano, cantano, controllano le conversazioni telefoniche, captano le trasmissioni in stereofonia e fanno pipí.

– D'accordo, – proclama il signor Fulvio, nella sua qualità di capofamiglia.

– Io me ne infischio, – questo è il signor Remo, – e vado a letto a dormire tra due guanciali.

Ed ecco, dopo pochi giorni, il Santo Natale, con tanti bei prosciutti appesi fuori dei negozi e tanti magnifici portacenere a forma di Piccolo Scrivano Fiorentino nelle vetrine e tanti zampognari, veri e falsi, per le strade. Neve sull'arco alpino e nebbia in Val Padana.

La bambola nuova è già lí che aspetta Enrica sotto l'albero di Natale. Lo zio Remo (si tratta sempre dello stesso Remo, il quale per il signor Fulvio è un cognato, per la signora Lisa un fratello, per la portiera un ragioniere, per il giornalaio un cliente, per il vigile urbano un pedone e per Enrica, giustappunto, uno zio: quante mai cose può essere una sola persona!), dunque, lo zio Remo osserva la bambola con un sogghigno. Bisogna sapere che, di nascosto da tutti, egli compie severi studi di magia: può spaccare un portacenere di travertino con una semplice occhiata, tanto per fare un esempio. Egli tocca la bambola in due o tre punti, sposta qualche transistor, sogghigna di nuovo e infine se ne va al caffè, mentre arriva di corsa Enrica, lanciando grida di gioia, che i genitori ascoltano con delizia dietro la porta chiusa.

– Bella, bella, – dichiara Enrica, al colmo dell'entusiasmo. – Ti preparo subito la colazione.

Rovistando febbrilmente nell'angolo dei giocattoli, essa ne cava un ricco apparato di chicchere, piattini, bicchierini, vasetti, bottigliette, eccetera, che dispone sul tavolinetto delle bambole. Fa camminare la bambola nuova fino al suo posto, la fa chiamare «mamma» e «papà» due o tre volte, le allaccia il tovagliolo al collo e si prepara a imboccarla. Ma la bambola, appena lei si volta un momentino, spara un paio di calci che mandano all'aria tutto l'apparecchio. Piattini che vanno in pezzi. Chicchere che rotolano sul pavimento del condominio e vanno a sfracellarsi contro il termosifone. Cocci.

Naturalmente accorre la signora Lisa, pensando che Enrica si sia fatta male. Arriva, crede a quello che vede e senza perder tempo sgrida per bene la figlia, chiamandola «brutta cattiva» ed aggiungendo: – Ecco, proprio il giorno di Natale mi devi combinare disastri. Guarda che se non stai attenta ti porto via la bambola e non la vedi piú.

Poi va in bagno.

Enrica, rimasta sola, acchiappa la bambola, le dà un paio di sculacciate, la chiama «brutta cattiva» e la rimprovera di combinare disastri proprio il giorno di Natale:

– Guarda che se non fai la brava, ti chiudo nell'armadio e non esci piú.

– Perché? – domanda la bambola.

– Perché hai rotto i piattini.

– Non mi piace giocare con quelle cretinate lí, – dichiara la bambola. – Fammi giocare con le automobiline.

– Te le do io le automobiline! – annuncia Enrica. E le rilascia altri sculaccioni. La bambola non s'impressiona e le tira i capelli.

– Ahi! Ma perché mi picchi?

– Legittima difesa, – dice la bambola. – Sei tu che mi hai insegnato a picchiare, picchiandomi per la prima. Io non avrei saputo come fare.

– Bè, – dice Enrica per sviare il discorso, – giocheremo alla scuola. Io ero la maestra e tu la scolara. Questo era il quaderno. Tu sbagliavi tutto il dettato e io ti mettevo quattro.

– Cosa c'entra il numero quattro?

– C'entra, sí. È cosí che fa la maestra a scuola. A chi fa bene, dieci; a chi fa male, quattro.

– Perché?

– Perché cosí impara.

– Mi fai ridere.

– Io?!?

– Naturale, – dice la bambola. – Rifletti. Ci sai andare in bicicletta?

– Certo!

– E quando stavi imparando e cascavi, ti davano un quattro, oppure ti mettevano un cerotto?

Enrica tace, perplessa. La bambola incalza: – Pensaci un momento, su. Quando imparavi a camminare e facevi un capitombolo, forse la mamma ti scriveva quattro sul sedere?

– No.

– Ma a camminare hai imparato lo stesso.

E hai imparato a parlare, a cantare, a mangiare da sola, ad allacciarti i bottoni e le scarpe, a lavarti i denti e le orecchie, ad aprire e chiudere le porte, a usare il telefono, il giradischi e la televisione, a salire e scendere le scale, a lanciare la palla contro il muro e riprenderla, a distinguere uno zio da un cugino, un cane da un gatto, un frigorifero da un portacenere, un fucile da un cacciavite, il parmigiano dal gorgonzola, la verità dalle bugie, l'acqua dal fuoco. Senza voti, né belli né brutti. Giusto?

Enrica lascia cadere il punto interrogativo e propone: – Allora ti lavo la testa.

– Sei matta? Il giorno di Natale...

– Ma io mi ci diverto, a lavarti la testa.

– Tu ti ci diverti, ma a me mi va il sapone negli occhi.

– Insomma, sei la mia bambola e con te posso fare quello che voglio io. Capito?

Questo «capito» fa parte del vocabolario del signor Fulvio. Anche la signora Lisa, qualche volta, conclude i suoi discorsi con un bel «capito?» Adesso tocca a lei, a Enrica, far valere la propria autorità padronale. Ma la bambola, a quanto pare, se ne infischia. Essa si arrampica in cima all'albero di Natale, facendo scoppiare svariate lampadine di diversi colori. Quando è in cima fa pipí, bagnando altre lampadine a forma di Biancaneve e dei Sette Nani.

Enrica, per non litigare, va alla finestra. In cortile i bambini giocano al pallone. Hanno monopattini, tricicli, archi e frecce. Anche i birilli. – Perché non vai in cortile a giocare con gli altri bambini? – domanda la bambola, mettendosi le dita nel naso per sottolineare la propria indipendenza.

– Sono tutti maschi, – dice Enrica, mortificata. – Fanno giochi da maschi. Le bambine debbono giocare con le bambole. Debbono imparare a fare le brave mammine e le brave padrone di casa, che sanno mettere a posto i piattini e le chiccherine, fare il bucato e lucidare le scarpe della famiglia. La mia mamma lucida sempre le scarpe del mio papà. Gliele lucida di sopra e di sotto.

– Poveretto!

– Chi?

– Il tuo papà. Si vede che è senza braccia e senza mani...

Enrica decide che è il momento di dare due schiaffi alla bambola. Per raggiungerla, però, deve arrampicarsi sull'albero di Natale. L'albero, da quel vero incapace che è, ne approfitta per crollare a terra. Vanno in frantumi le lampadine e gli angeli di vetro: un cataclisma. La bambola è finita sotto una sedia e pensa bene di mettersi a sghignazzare. Però è la prima a tirarsi su e corre a vedere se Enrica si è fatta male.

– Ti sei fatta male?

– Non dovrei neanche risponderti, – dice Enrica. – È tutta colpa tua. Sei una bambola maleducata. Non ti voglio piú.

– Finalmente! – dice la bambola. – Spero che adesso giocherai con le automobiline.

– Neanche per sogno, – annuncia Enrica. – Prenderò la mia vecchia bambola di pezza e giocherò con quella.

– Davvero!? – dice la bambola nuova. Si guarda intorno, vede la bambola di pezza, l'acchiappa e la butta dalla finestra senza nemmeno aprire i vetri.

– Giocherò con il mio orsacchiotto di pelo, – insiste Enrica.

La bambola nuova cerca l'orsacchiotto di pelo, lo trova, lo butta nel bidone delle immondizie. Enrica scoppia in pianto. I genitori odono e accorrono, giusto in tempo per vedere la bambola nuova che si è impadronita delle forbici e sta tagliuzzando tutti i vestiti del guardaroba delle bambole.

– Ma questo è puro vandalismo! – esclama il signor Fulvio.

– Povera me, – aggiunge la signora Lisa. – Credevo di aver comprato una bambola e invece ho comprato una strega!

Entrambi si gettano sulla piccola Enrica, la prendono in braccio a turno, l'accarezzano e la coccolano, la sbaciucchiano.

– Puah! – dice la bambola dall'alto dell'armadio su cui si è rifugiata per tagliarsi i capelli, che per i suoi gusti sono troppo lunghi.

– Ma senti, – inorridisce il signor Fulvio. – Dice anche: Puah! Questa può avergliela insegnata solo tuo fratello.

Il signor Remo compare sulla porta, come se lo avessero mandato a chiamare. Gli basta un'occhiata per capire la situazione. La bambola gli strizza l'occhio.

– Cosa succede? – domanda lo zio, fingendo di cadere da una nuvola rosa.

– Quella lí, – singhiozza la povera Enrica, – non vuole fare la bambola! Chi sa cosa si crede di essere.

– Voglio andare in cortile a giocare ai birilli, – dichiara la bambola, facendo volare ciocche di capelli da tutte le parti. – Voglio una grancassa, voglio un prato, un bosco, una montagna e il monopattino. Voglio fare la scienziata atomica, il ferroviere e la pediatra. Anche l'idraulico. E se avrò una figlia, la manderò al campeggio. E quando la sentirò dire: «Mamma, voglio fare la casalinga come te e lucidare le scarpe di mio marito, di sopra e di sotto», la metterò in castigo in piscina e per penitenza la porterò a teatro.

– Ma è proprio matta! – osserva il signor Fulvio. – Forse le si è guastato qualche transistor.

– Dài, Remo, – prega la signora Lisa, dalle un'occhiata, tu che te ne intendi.

Il signor Remo non si fa pregare a lungo. E nemmeno la bambola. Essa gli salta addirittura in testa, dove si mette a fare i salti mortali.

Il signor Remo la tocca qui e là, in punti diversi e in altri ancora. La bambola diventa un microscopio.

– Hai sbagliato, – dice la signora Lisa.

Il signor Remo tocca ancora. La bambola diventa una lanterna magica, un telescopio, un paio di pattini a rotelle, un tavolo da ping-pong.

– Ma cosa fai? – chiede il signor Fulvio al cognato. – Adesso la rovini del tutto. S'è mai vista una bambola che sembra un tavolo?

Il signor Remo sospira. Tocca di nuovo. La bambola ridiventa una bambola. Ha di nuovo i capelli lunghi e la lavatrice incorporata.

– Mamma, – dice, ma stavolta con voce da bambola. – Voglio fare il bucato.

– Oh, finalmente! – esclama la signora Lisa. – Questo sí che si chiama parlare. Su,

Enrica, gioca con la tua bambola. Sei in tempo a fare un bel bucatino prima di pranzo.

Ma Enrica, che tutto questo è stata a vedere e ascoltare, ora sembra incerta sul da farsi. Guarda la bambola, guarda lo zio Remo, guarda i genitori. Finalmente caccia un sospirone e dice: – No, voglio andare in cortile a giocare a birilli con gli altri bambini. E forse farò anche il salto mortale.

Una per ogni mese

Gennaio: I pesci

– Sta' attento, – dice il pesce grosso al pesce piccolo, – quello lí è un amo. Non abboccare.

– Perché? – domanda il pesce piccolo.

– Per due ragioni, – risponde il pesce grosso. – La prima è che se abbocchi, ti pescano, t'infarinano e ti friggono in padella. Poi ti mangiano, con due foglie d'insalata per contorno.

– Ohibò! Anzi, grazie tante. Mi hai salvato la vita. E la seconda ragione?

– La seconda ragione, – dice il pesce grosso, – è che ti voglio mangiare io.

Febbraio: Il numero trentatre

Conosco un piccolo commerciante. Non commercia né in zucchero né in caffè, non vende né sapone né prugne cotte. Vende solo il numero trentatre.

È una persona onestissima, vende roba genuina e non ruba mai sul peso. Non è di quelli che dicono: «Ecco il suo trentatre, signore» e invece magari è soltanto un trentuno o un ventinove.

I suoi trentatre sono tutti garantiti di marca, dispari al cento per cento, tre decine e tre unità, l'accento sull'ultima sillaba.

Non fa grandi affari, però. Di trentatre non c'è un grande smercio. Solo quelli che debbono andare dal dottore entrano nel negozietto e ne comprano uno. Ma ci sono anche di quelli che comprano un trentatre usato a Porta Portese. Lui ad ogni modo non si lamenta. Potete mandare da lui un bambino, o anche un gatto, con la sicurezza che non farà imbrogli.

È un onesto esercente. Nel suo piccolo, è una colonna della società.

Marzo: La cartolina

C'era una volta una cartolina senza indirizzo. C'era scritto soltanto: «Saluti e baci». E sotto la firma: «Pinuccia». Nessuno poteva dire se questa Pinuccia fosse signora o signorina, una vecchia bisbetica o una ragazzetta in blue jeans. O magari una spia.

Tanta gente avrebbe voluto prendersi almeno uno di quei «saluti» e di quei «baci», almeno il piú piccolo. Ma, come fidarsi?

Aprile: L'assedio

Il generale Tuthià disse al gran Faraone:
– Maestà, quella città lí, con un assedio regolare non la prendiamo neanche a piangere. Ci vuole un trucco.

– E tu, ce l'hai?

– Ce l'ho, sí.

Il generale fece disporre di notte mille grosse giare intorno alla città assediata. Dentro ogni giara c'era un soldato armato di tutto punto. Poi l'esercito egiziano fece armi e bagagli, sgombrò il campo, batté in ritirata. Gli assediati corrono alle mura, non vedono piú gli egiziani, vedono le giare e gridano: – Buone! Per il raccolto delle olive, è quello che ci vuole.

Ci vollero cento carri per portare le giare in città. Di notte, poi, i soldati egiziani ruppero le giare, saltarono fuori, aprirono le porte, appiccarono il fuoco; il Faraone tornò con tutte le sue truppe. Morale: vittoria completa. Gran festa, fuochi artificiali.

Solo il generale Tuthià non si mostrava troppo contento.

– Ma come, – fece il Faraone, – ti ho dato la massima decorazione dell'impero, una pensione di prima categoria, mille cavalli, uno per ogni giara, cosa vuoi di piú?

– Niente, Maestà. Ma penso che tra mille anni, alla guerra di Troia, un generale greco farà con un solo cavallo quello che io ho fatto con mille giare. Purtroppo noi non conosciamo ancora il cavallo. E cosí quello si prenderà tutta la gloria.

– Guardie, – gridò allora il Faraone, – acchiappate questo traditore e tagliategli la testa. Lui non voleva la città, voleva la gloria. Voleva un poeta per fargli la biografia. Passare alla storia non gli bastava: voleva passare anche alla poesia. A morte!

Maggio: Dialoghetto

– Che cosa si aspetta da me la gente?
– Che tu da lei non ti aspetti niente.

Giugno: Gli uccelli

Conosco un signore che ama gli uccelli. Tutti: quelli di bosco, quelli di palude, quelli di campagna. I corvi, le cutrettole, i colibrí. Le anatre, le folaghe, i verdoni, i fagiani. Gli uccelli europei, gli uccelli africani. Ha un'intera biblioteca sugli uccelli: tremila volumi, molti dei quali rilegati in pelle.

Egli adora istruirsi sugli usi e costumi degli uccelli. Impara che le cicogne, quando scendono dal Nord al Sud, percorrono la linea Spagna-Marocco o quella Turchia-Siria-Egitto, per schivare il Mediterraneo: ne hanno una gran paura. Non sempre la strada piú corta è la piú sicura.

Sono anni, lustri, decenni che quel mio conoscente studia gli uccelli. Cosí sa di preciso quando passano, si mette lí col suo fucile automatico e *bang! bang!*, non ne sbaglia uno.

Luglio: La catena

La catena si vergognava di se stessa. «Ecco, pensava, tutti mi schivano e hanno ben ragione: la gente ama la libertà e odia le catene».

Passò di lí un uomo, prese la catena, salí su un albero, ne legò i due capi a un ramo robusto e ci fece l'altalena.

Ora la catena serve per far volare in alto i figli di quell'uomo, ed è molto contenta.

Agosto: In treno

In treno faccio conoscenza con un signore. Conversiamo piacevolmente del piú, del meno e anche di altre cose. A un certo punto egli dice: – Sa, io vado a Domodossola!

– Bravo! – esclamo con ammirazione. – Lei ha fatto un magnifico complemento di moto a luogo.

Egli assume di colpo un'espressione severa, persino un po' disgustata.

– Guardi, – dice seccamente, – che certe cose io le lascio fare agli altri.

E per tutto il resto del viaggio non mi rivolge la parola.

Settembre: L'Aida

La nostra cittadina ha festeggiato ieri il signor Trombetti Giovancarlo, che in trent'anni di lavoro ha registrato da solo e senza aiutanti l'opera *Aida* del maestro Giuseppe Verdi.

Ha cominciato che era quasi un ragazzo, cantando davanti al microfono del suo registratore la parte di Aida, poi quella di Amneris, poi quella di Radamès. Una dopo l'altra ha cantato e registrato tutte le parti.

Anche i cori. Siccome il coro dei sacerdoti doveva essere di trenta cantanti, lo ha dovuto cantare trenta volte. Poi ha studiato tutti gli strumenti, dal violino alla grancassa, dal fagotto al clarino, dalla tromba al corno inglese, eccetera. Ha inciso le parti una per una, poi le ha fuse in un nastro comune per ottenere l'effetto dell'orchestra.

Tutto questo lavoro l'ha fatto in uno scantinato affittato all'uopo, lontano dal suo domicilio. Alla famiglia diceva che andava a fare gli straordinari. E invece andava a fare l'*Aida*. Ha fatto i rumori degli elefanti, quelli dei cavalli, i battimani alla fine delle arie piú famose. Per fare l'applauso alla fine del primo atto, ha applaudito tutto da solo, per la durata di un minuto, tremila volte, perché aveva deciso che allo spettacolo assistessero tremila persone, delle quali quattrocentodiciotto dovevano gridare: «Bravi!», centoventuno: «Benissimo!», trentasei: «Vogliamo il bis!», dodici, invece: «Cani! Andatevi a nascondere».

E ieri, come ho detto, quattromila persone, stipate nel teatro comunale, hanno avuto la prima audizione dell'eccezionale opera. Alla fine quasi tutti erano d'accordo nel dire: «Straordinario! Pare proprio un disco!»

Ottobre: Divento piccolo

È terribile diventare piccoli a questo modo, tra gli sguardi divertiti della famiglia. Per loro è uno scherzo, la cosa li mette di buon umore. Quando il tavolo mi sorpassa, si fanno carezzevoli, teneri, affettuosi. I nipotini corrono a preparare la cesta del gatto: evidentemente si propongono di farne la mia cuccia; mi sollevano da terra con delicatezza, prendendomi per la collottola, mi posano sul vecchio cuscino stinto, chiamano amici e parenti a godersi lo spettacolo del nonno nella cesta. E divento sempre piú piccolo. Mi possono chiudere, ormai, in un cassetto insieme ai tovaglioli, puliti o sporchi. Nel giro di pochi mesi non sono piú un padre, un nonno, uno stimato professionista, ma un affarino che si fa passeggiare sul tavolo quando la televisione non è accesa. Prendono la lente d'ingrandimento per guardarmi le unghie piccolissime. Tra poco basterà una scatola di cerini a contenermi. Poi qualcuno troverà la scatola vuota e la butterà via.

Novembre: I giornali

Conosco un altro signore in treno. È salito a Terontola con sei giornali sotto il braccio. Comincia a leggere.

Legge la prima pagina del primo giornale, la prima pagina del secondo giornale, la prima pagina del terzo giornale, e cosí via fino al sesto.

Poi passa a leggere la seconda pagina del primo giornale, la seconda pagina del secondo giornale, la seconda pagina del terzo giornale, e avanti cosí.

Poi attacca la terza pagina del primo giornale, la terza pagina del secondo, con metodo e diligenza, prendendo ogni tanto qualche appunto sui polsini della camicia.

A un tratto mi coglie un pensiero spaventoso: «Se tutti i giornali hanno lo stesso numero di pagine, va bene; ma che cosa succederà se un giornale ha sedici pagine, un altro ventiquattro, un altro soltanto otto? Vedendo fallire il suo metodo, che cosa farà quel povero signore?»

Per fortuna scende a Orte e io non faccio in tempo ad assistere alla tragedia.

Dicembre: Il vocabolario

Una pagina del vocabolario su cui medito spesso è quella in cui coabitano silenziosamente, senza mai salutarsi né farsi gli auguri di buon anno, l'*ortensia*, l'*ortica*, l'*ortolano* e l'*ortografia*.

La cosa mi intriga assai. Fin che immagino l'*ortolano* intento a strappare l'*ortica* perché l'*ortensia* cresca liberamente, la mia pace non è turbata. Ma poi l'*ortolano* si mette a insegnare l'*ortografia* all'*ortensia*, la quale, essendo un fiore, se ne infischia. A questo punto passa, nella stessa pagina, un prete *ortodosso*. Per chi sta pregando? Per l'*ortensia* defunta, per l'*ortolano* matto o per tutti quelli che soffrono a causa dell'*ortografia*? Questo interrogativo spalanca davanti ai miei occhi un vero e proprio abisso, in fondo al quale – cioè in fondo alla pagina – vagola solitario il verbo *ortografizzare*. Pare che significhi: «seguire le regole dell'ortografia». Ma il suo suono è spaventoso. Forse è un verbo cannibale.

Il giardino del commendatore

Il commendator Mambretti, proprietario di una fabbrica di accessori per cavatappi, del quale abbiamo già piú volte parlato, si è fatto un bel giardino, con zona frutteto. Il giardiniere si chiama Fortunino.

– Che razza di nome le ha messo suo padre, – osserva il commendator Mambretti, appena lo viene a sapere.

– In onore del maestro Verdi, commendatore.

– Ma il Verdi non si chiamava mica Giuseppe?

– Giuseppe, sí, ma di secondo nome Fortunino. E di terzo, Francesco.

– Va bene, va bene, – dice il commendator Mambretti. – Parliamo di pere. Domani vengono a colazione da me il commendator Mambrini e il commendator Mambrillo e gli voglio far assaggiare le pere del mio giardino. Me ne faccia trovare un bel piatto in tavola.

Fortunino impallidisce: – Commendatore, non è mica la stagione delle pere questa qua.

Mambretti lo guarda con aria di compassione.

– Vediamo, – dice, – il pero mi sembra sano, robusto.

– Se è per questo, l'ho trattato bene: concime, insetticida, potatura, eccetera, tutto a regola d'arte.

– Bravo, cosí quello si crede di aver trovato l'America nel mio giardino. Un paio di bastonate ogni tanto, gliele ha date? Glielo ha messo un quattro sul registro?

– Quale registro, commendatore?

– Sicché lei non tiene neanche il registro. Immagino che lei sia per i sistemi moderni, immagino. Caro Fortunino, ci vuole severità con le piante. Disciplina. Autorità, mi spiego? Stia a vedere.

Il commendator Mambretti acchiappa un bastone, lo nasconde dietro la schiena e si avvicina al pero che, se potesse, si metterebbe a cantare: «Sento l'orma dei passi spietati».

– E cosí, – dice Mambretti, – facciamo i capricci, eh? Ci siamo messi in testa delle cosine sbagliate, vero?

– Ma, – lo interrompe Fortunino, – commendatore...

– Zitto, lei! Chi è il padrone qua dentro?
– Il commendator Mambretti.
– Ecco, bravo. E siccome sono il padrone, adesso userò il bastone.
E giú tortorate sul tronco del pero che perde tutti i fiori per lo spavento.
– Cosí basterà, – dice il commendator Mambretti, buttando il bastone per asciugarsi il sudore della fronte. – Non bisogna neanche esagerare. Una cosa giusta. Vedrà domani mattina, che belle perine metterà fuori il nostro amico.
Il povero Fortunino vorrebbe ribattere che ormai quel pero non darà piú frutti, né domani né tra sei mesi, perché ha perso i fiori. Ma siccome non è tanto svelto a parlare, prima che lui apra bocca, il commendator Mambretti è già rientrato in casa.
– Pazienza, – mormora Fortunino, – ma cosa succederà domani? Poco ma sicuro che il commendatore si arrabbierà e al pero toccherà un'altra razione di bastonate.
Ci pensa tutto il giorno e finalmente gli viene un'idea per salvare l'innocenza. Va a casa, apre il salvadanaio e corre in città, in un negozio di primizie che lui conosce, dove si trovano pere d'ogni stagione. Ne compra un paio di chili, aspetta che faccia buio, torna in giardino e appende ai rami quelle bellissime pere, una per una, ma non a ca-

saccio, bensí con ordine e fantasia, perché l'occhio vuole la sua parte; un frutto qua, solitario nel suo splendore, là una coppia di gemelli, su quell'altro ramo tre pere, due piú grosse e una piú piccola, che sembrano una pacifica famigliola a passeggio sul corso.

Viene mattina, viene il commendatore a ispezionare il giardino e si frega le mani per la contentezza: – Ha visto? Ha visto? Caro Fortunino, ecco le piú belle pere che si siano mai dondolate su una pianta a sud di Verona e a nord di Pistoia. E saranno anche le piú buone, perché son le pere del bastone. Le colga, le porti alla mia signora e si ricordi che con gli alberi le maniere troppo delicate non servono. Bisogna esigere obbedienza cieca, pronta e assoluta. E se non rigano dritto, castigare. Ha capito quante sono le ore?

Il buon Fortunino arrossisce e china il capo. Non può dire la verità; di dire bugie la sua bocca si rifiuta. È meglio che stia zitto. Del resto per oggi il commendatore è soddisfatto. Poi si vedrà.

Un'altra mattina il commendatore Mambretti va in giardino e vuole delle rose.

– Di quelle bianche, – dice a Fortunino, – perché sono per mia suocera, che si chiama Bianca. Afferra il pensiero gentile?

– Sí, commendatore, – risponde il giardiniere, – però guardi che le rose bianche non sono ancora fiorite.

- Non sono fiorite? E come si permettono? Lo sanno o non lo sanno che il padrone sono io?

– Vede, commendatore...

– Non vedo niente. Non sento niente. Non voglio saper niente. Mi porti la frusta.

– Non vorrà mica... frustare quella povera piantina?

– Che piantina e piantina. È grande abbastanza per capire il suo dovere. I caratteri vanno piegati da giovani. Chi ama, castiga. Dia qua.

– Oh, povero me...

– Cosa c'entra lei? Non voglio mica frustare lei, ci mancherebbe. Le voglio solo mostrare come si fa a convincere le rose a fiorire quando il padrone lo desidera, e non di testa loro, a capriccio e alla rinfusa.

Mentre il commendator Mambretti frusta la rosa, Fortunino si copre gli occhi. Ha sentito dire: occhio non vede, cuore non duole. Ma il cuore gli duole lo stesso.

– Ecco fatto. Vedrà che bella fioritura, domani mattina, la nostra signorinetta. Energia, ci vuole. Comprende Fortunino? Polso. Mano di ferro.

Rimasto solo, Fortunino consola la rosa dicendole tante belle paroline, sicuro che in qualche modo lei capirà. Le mette anche un paio di aspirine tra le radici: magari le fanno passare il bruciore. Ma poi è da capo a dodici: – Che cosa succederà domani?

Il guaio è che non ha un altro salvadanaio da rompere. Deve per forza prendere la bicicletta e correre dal cognato a farsi prestare un cinquemila lire.

– Mi dispiace, – dice il cognato Filippo, – proprio stamattina ho pagato la rata del televisore. Mi sono rimaste appena mille lire. Se ti servono...

– Grazie, – dice Fortunino, sospirando. Per mettere insieme cinquemila lire deve far visita successivamente al cugino Riccardo, al cugino Radamès (cosí chiamato in onore del maestro Giuseppe Verdi, autore dell'opera *Aida*), alla cugina Bertolina, che gli fa una conferenza sull'ulcera allo stomaco, alla zia Benedetta, che lo interroga a lungo sulla differenza tra un normale lassativo e le supposte di glicerina, alla zia Enea (cosí chiamata per errore: suo padre credeva che Enea fosse un nome femminile). Riesce ad arrivare in tempo dal fioraio in città per comprare cinque rose bianche della Riviera, pagando anche l'Iva. Torna di notte nel giardino, lega le rose alla piantina e intanto le sussurra: – Speriamo che gli bastino, a quello là. Io di piú non te ne ho potute comprare; sai bene cosa succede con i prezzi di questi tempi. Anche il commendator Mambretti ha aumentato gli accessori per cavatappi.

Ma al commendator Mambretti cinque rose non bastano.

– Avevo detto due dozzine!

– Ma no che non l'aveva detto, signor commendatore.

– Cos'è, si mette anche a contarmi le parole in bocca, adesso? Stia al suo posto, lei. E mi dia la frusta.

– No, per carità, la frusta no!

– La frusta sí, invece.

Il commendator Mambretti va a prendersi la frusta da solo, e giú colpi alla rosa. Poi, dal momento che ci si trova, castiga una tuja perché è diventata tutta gialla da una parte, bastona un cipresso perché ha un ramo storto, legna un pino perché ha fatto le pigne troppo in alto e non si arriva a prenderle nemmeno con la scala.

– E questo salice piangente, perché non piange? E questo abete, perché rimane cosí bassetto? E questo cedro del Libano si decide o no a fare i cedri?

– Basta, basta! – lo implora Fortunino con le lacrime agli occhi.

– Basta sí, – urla il commendator Mambretti, – basta con lei e con il maestro Verdi! Lei è licenziato. Può passare alla cassa.

Fortunino, ormai, piange al posto del salice. Malissimo, perché le lacrime gli impediscono di vedere la cassa, sbaglia un sacco di uffici e tutti lo cacciano via.

– Domani, – grida il commendatore, rivolto agli alberi, cespugli e fiori del suo giardino, – tornerò a vedervi; e guai a voi se non avrete messo giudizio. Ma lo zero in condotta non ve lo leva nessuno.

Cade la sera. Cade anche la notte (quando è il suo momento, non un minuto prima o dopo). Il giardino si nasconde nel buio e nel silenzio. Ma sottoterra, dove le radici si allungano e si aggirano, si aggrovigliano e si confondono, intrecciando in ogni senso le loro ramificazioni, spingendo i fittoni a diverse profondità, nasce una fitta cospirazione di sussurri misteriosi. È laggiú che i vegetali parlano tra loro, si scambiano informazioni e propositi, si comunicano decisioni e progetti. Un popolo sepolto, creduto morto o trattato come tale, è invece ben vivo, fin nei minimi peluzzi radicali.

Tutta notte prosegue l'invisibile agitazione, non disturbata dagli andirivieni dei topi, dal lavorio delle larve, dai vermi che debbono farsi passare nel corpo la terra per spostarsi.

La mattina il commendator Mambretti scende in giardino, armato di fiere intenzioni e di un nervo di bue. Egli si guarda intorno senza sospetto alcuno. La sua prima occhiata, naturalmente, è per la rosa.

– Niente fiori, – egli constata. – Benone. Naturale. Io sono il fesso che parla solo per muovere la lingua. Io parlo turco, eh? Ma tu ti sei sbagliata, carina. Con me tutti, prima o poi, debbono cedere.

Cosí dicendo il commendator Mambretti agita minacciosamente la sua arma e si avvicina alla pianticella per darle una lezione. Ma al secondo passo che fa, inciampa in una radice che il salice ha spinto a fior di terra al momento giusto. Si aggrappa alla rosa per non cadere, e quella caccia fuori una spina lunga come un coltello, che gli graffia profondamente la mano. Il pino, senza chiedere aiuto al vento, si scuote ben bene i rami piú alti e lascia cadere una pigna da mezzo chilo in testa al nominato Mambretti. La pigna si spacca, i pinoli rotolano allegramente sul sentiero, accorre uno scoiattolo e ne fa la raccolta.

Il commendatore si rialza per scagliarsi contro il pino: – Insolente, avrai la tua parte!

Il pino gli cala in testa un'altra pigna. Poi una terza. Una quarta, anche piú grossa. Il commendator Mambretti è costretto a battere in ritirata; del che approfitta un cipresso deodara per fargli lo sgambetto col suo ramo piú basso. Il Mambretti giace di nuovo a terra, ma stavolta sulla schiena. Il pero, non potendo fare altro, gli scrolla negli occhi una cicala morta.

– Allora è una congiura! – grida il commendator Mambretti – è una rivolta a mano armata, è l'ammutinamento del Bounty!

Per tutta risposta un abete gli fa piovere in bocca una manciata di aghi. Il commendatore impiega venti minuti a sputarli tutti.

– La vedremo! – ricomincia a gridare, appena può. – Vi estirperò come la gramigna; vi farò a pezzetti e pezzettini e vi brucerò sul fuoco. Di voi non resterà neanche il seme!

Una macrocarpa allunga un paio di rami e lo acchiappa per il collo, come se volesse strangolarlo, ma si accontenta di farlo star zitto e di tenerlo ben fermo intanto che la mimosa gli fa il solletico sotto il naso.

Il commendator Mambretti si libera dalla presa con uno strattone e fugge gridando:
– Aiuto! Aiuto! Fortunino!

– Io non ci sono, – risponde Fortunino, che si gode lo spettacolo arrampicato sul muro di cinta. – Si ricorda mica che mi ha licenziato? E adesso con i soldi della liquidazione vado al cinema.

Il commendator Mambretti rientra in casa, chiude la porta e tira il catenaccio. Poi corre alla finestra a guardare. Il giardino è calmo come mai. Gli alberi se ne stanno lí a vegetare, facendo finta di niente.

– Che razza di impostori, – borbotta il Mambretti. Poi va in bagno a mettersi tre o dodici cerotti.

Strani casi della Torre di Pisa

Una mattina il signor Carletto Palladino è lí, come sempre, ai piedi della Torre di Pisa a vendere ricordini ai turisti, quando una grande astronave d'oro e d'argento si ferma in cielo e dalla sua pancia esce un coso, un elicottero forse, che scende sul prato detto «dei miracoli».

– Guardate! – esclama il signor Carletto. – Gli invasori spaziali!

– Scappa e fuggi, – strilla la gente, in tutte le lingue.

Ma il signor Carletto non scappa, né fugge, per non abbandonare la cassetta posata su uno sgabello, nella quale, bene allineati – cioè, tutti storti – stanno tanti modellini della torre pendente, in gesso, marmo e alabastro.

– Souvenir! Souvenir! – comincia a gridare, indicando la sua merce agli spaziali, che sbarcano, in numero di tre, ma salutano con dodici mani, perché ne hanno quattro a testa.

– Venite via, sor Carletto, – gridano le altre venditrici di ricordini da lontano, fingendo preoccupazione per la sua vita; in realtà sono gelose, ma ad avvicinarsi per vendere anche loro agli spaziali le belle statuine, hanno paura.

– Souvenir!

– Bono, pisano, – dice una voce spaziale. – Prima le presentazioni.

– Carletto Palladino, piacere.

– Signore e signori, – continua la voce, con un'ottima pronuncia italiana, – chiediamo scusa per il disturbo. Veniamo dal pianeta Karpa, che dista dal vostro trentasette anni luce e ventisette centimetri. Contiamo di fermarci pochi minuti. Non dovete aver paura di noi, perché siamo qui per una missione commerciale.

– Io l'avevo bell'e capito, – fa il signor Carletto. – Tra uomini d'affari ci s'intende subito.

Mentre la voce spaziale, amplificata da un invisibile altoparlante, ripete piú volte il messaggio, turisti, venditori di ricordini, ragazzi, curiosi, sbucano dai loro nascondigli e si fanno avanti, incoraggiandosi a vicenda. Arrivano, con accompagnamento di sirene, poliziotti, carabinieri, pompieri e vigili urbani, per ragioni di ordine pubblico. Giunge pure il sindaco, in groppa a un cavallo bianco.

– Cari ospiti, – dice il sindaco, dopo tre squilli di trombe, – siamo lieti di darvi il benvenuto nell'antica e famosa città di Pisa, ai piedi del suo antico e famoso campanile. Se fossimo stati avvertiti del vostro arrivo, vi avremmo preparato accoglienze degne dell'antico e famoso pianeta Karpa. Purtroppo...

– Grazie, – lo interrompe uno dei tre spaziali, agitando due delle sue quattro braccia. – Non vi disturbate per noi. Avremo da fare per un quarto d'ora al massimo.

– Volete lavarvi le mani? – domanda il sindaco. – Per l'appunto vi ho portato alcuni biglietti omaggio per l'albergo diurno.

I tre spaziali, senza piú dargli retta, si dirigono verso il campanile e cominciano a palparlo, come per accertarsi che sia vero. Adesso parlano tra loro, in una lingua abbastanza simile al caracalpacco, ma non dissimile dal cabardino-balcarico. I loro volti, nello scafandro, sono degli autentici volti karpiani, molto somiglianti ai pellirossa.

Il sindaco gli si avvicina premuroso:

– Non desiderate prendere contatto con il nostro governo, con i nostri scienziati, con la stampa?

– Perché? – ribatte il capo degli spaziali. – Non vogliamo dar noia a tanta gente importante. Ci prendiamo la torre e ripartiamo.

– Vi prendete... che cosa?

– La torre.

– Scusi, signor karpiano, forse ho capito male. Lei vuol dire che le interessa la torre, magari che lei e i signori suoi amici vogliono montare in cima per godere il panorama e intanto, per non perdere tempo, fare qualche esperimento scientifico sulla caduta dei gravi?

– No, – risponde pazientemente il karpiano. – Siamo qui per *prendere* la torre. Dobbiamo portarla sul nostro pianeta. Vede quella signora lí? – (il capo spaziale indica uno degli altri due scafandri) – Quella lí è la signora Boll Boll, che abita nella città di Sup, a pochi chilometri dalla capitale della Repubblica karpiana del Nord.

La signora spaziale, sentendo il suo nome, si volta vivacemente e si mette in posa, sperando di essere fotografata. Il sindaco si scusa di non saper fare fotografie e batte sempre sullo stesso chiodo: – Cosa c'entra la signora Boll Boll? Qua si tratta che voi, senza il permesso dell'arcivescovo e del sovrintendente alle belle arti, la torre non la potete neanche toccare, altro che portarla via!

– Lei non capisce, – spiega il capo spaziale. – La signora Boll Boll ha vinto la Torre di Pisa nel nostro grande concorso Bric. Acquistando regolarmente i famosi dadi per il brodo Bric, essa ha raccolto un milione di buoni-punto e le spetta il secondo premio, che consiste, per combinazione, nella torre pendente.

– Ah, – riconosce il sindaco, – ottima idea!

– Veramente noi lo diciamo in un altro modo. Noi diciamo: «Che idea chic il brodo Bric!»

– Ben detto. E il primo premio in che cosa consiste?

– Il primo premio è un'isola nei Mari del Sud.

– Mica male! Vi siete proprio affezionati alla Terra, pare.

– Sí, il vostro pianeta è molto popolare da noi. I nostri dischi volanti lo hanno fotografato in lungo e in largo e molte ditte che producono dadi per il brodo si sono fatte avanti per accaparrarsi la possibilità di distribuire oggetti terrestri nei loro concorsi, ma la ditta Bric ha ottenuto l'esclusiva dal governo.

– Ora ho capito bene, – sbotta il sindaco; – ho capito che per voi la Torre di Pisa è roba di nessuno! Il primo che se la piglia, è sua.

– La signora Boll Boll la metterà nel suo giardino; avrà certamente un grande successo: correranno karpiani da tutta Karpa per vederla.

– Mia nonna! – grida il sindaco. – Questa è la fotografia di mia nonna. Ve la do gratis; la signora Boll Boll potrà metterla in giardino per fare bella figura con le sue amiche. Ma la torre non si tocca! Mi ha sentito bene?

– Guardi, – dice il capo spaziale al sindaco, mostrando un bottone della sua tuta, – lo vede questo? Se io lo schiaccio, Pisa salta per aria e non torna piú a terra.

Il sindaco resta senza fiato. Intorno a lui la folla inorridisce in silenzio. Si sente solo, in fondo alla piazza, una voce di donna che chiama: – Giorgina! Renato! Giorgina! Renato!

Il signor Carletto Palladino borbotta mentalmente: – Ecco, con le buone maniere si ottiene tutto.

Non fa in tempo a finire questo importante pensiero, che la torre... scompare, lasciando un buco nel quale l'aria si precipita con un sibilo.

– Visto? – domanda il capo spaziale. – Molto semplice.

– Cosa ne avete fatto? – grida il sindaco.

– Ma eccola là, – dice il karpiano, – l'abbiamo rimpicciolita un tantino per poterla trasportare: una volta a casa della signora Boll Boll le ridaremo le sue dimensioni normali.

Difatti là, dove la torre si ergeva in tutta la sua altezza e pendenza, al centro dello spiazzo vuoto lasciato dalla sua sparizione, si può vedere ora una torricina piccina piccina, simile in tutto e per tutto ai ricordini del signor Carletto Palladino.

La gente si fa uscire dal petto un lungo «ooohh!» durante il quale si sente ancora la voce di quella signora che chiama i suoi bambini: – Renato! Giorgina!

La signora Boll Boll fa per chinarsi a raccogliere la minitorre e metterla in borsetta, ma prima di lei qualcuno, e precisamente il signor Carletto Palladino, si getta sui miseri resti dell'antico e famoso monumento, come i cani si gettano (cosí, almeno, la raccontano) sulla tomba del padrone. I karpiani, colti di sorpresa e di contropiede, tardano un momento a reagire; ma poi, con tutte quelle braccia, non fanno nessuna fatica ad immobilizzare il signor Carletto, a sollevarlo di peso e a depositarlo a debita distanza.

– Ecco fatto, – dice il capo spaziale. – Ora noi abbiamo la torre, ma a voi restano tante altre belle cose. La missione di cui eravamo stati incaricati per conto della ditta Bric è compiuta. Non ci resta che dirvi arrivederci e grazie.

– Andate al diavolo! – risponde il sindaco. – Pirati! Ma ve ne pentirete. Un giorno avremo anche noi i dischi volanti...

– Il brodo con i buoni-punto ce l'abbiamo di già, – aggiunge una voce dal fondo.

– Ve ne pentirete! – ripete il sindaco.

Si sente il «tac» della borsetta della signora Boll Boll, richiusa con energia karpiana. Si sente un nitrito del cavallo del sindaco, ma non si capisce che cosa voglia dire. Poi si sente la vocetta del signor Carletto, che fa: – Scusi, signor karpiano...

– Dica, dica.

– Avrei una preghiera da rivolgervi.

– Una petizione? Allora deve usare la carta bollata.

– Ma si tratta solo di una sciocchezza. Dal momento che la signora Boll Boll ha avuto il suo premio... se voi volete...

– Che cosa?

– Ecco, io avrei qui questo modellino del nostro bel campanile. È un giocattolino di marmo, come vedete. A voi non costerebbe niente ingrandircelo ad altezza naturale.

Cosí almeno ci resterebbe un ricordino del nostro campanile...

– Ma sarebbe una cosa finta, senza nessun valore storico-artistico-turistico-pendente, – osserva, stupito, il capo spaziale. – Sarebbe un surrogato come la cicoria.

– Pazienza, – insiste il signor Carletto. – Ci contenteremo.

Il capo spaziale spiega la strana richiesta al suo collega e alla signora Boll Boll, che scoppiano a ridere.

– Che buffonata! – protesta il sindaco. – Non vogliamo nessuna cicoria!

– Lasci fare, signor sindaco, – dice il signor Carletto.

– Va bene, – fa il capo spaziale. – Dia qua.

Il signor Palladino gli consegna il modellino; il capo spaziale lo colloca al punto giusto, gli punta addosso un bottone della sua tuta (un altro, non quello delle bombe) e... là! Fatto! Ecco di nuovo la Torre di Pisa al suo posto...

– Bella roba! – continua a protestare il sindaco. – Si vede di lontano che è falsa come Giuda. Oggi stesso farò demolire questa vergogna.

– Come vuole lei, – dice il capo spaziale. – Bè, noi ce ne andiamo, neh? Buongiorno e buona Pasqua.

I karpiani risalgono sul loro quasi-elicottero, tornano sull'astronave d'oro e d'argento, e subito dopo in cielo c'è soltanto un passero solitario, che torna sulla vetta della torre antica.

Poi succede una cosa strana. Davanti a tutta quella gente disperata, alle forze dell'ordine sconsolate, al sindaco che singhiozza, il signor Carletto Palladino si mette a ballare la tarantella e il saltarello.

– Poverino! – dice la gente. – È diventato matto per il dolore.

– Matti sarete voi, – grida invece il signor Carletto. – Stupidelli e sciocchini, che non siete altro! E siete pure distratti come il cavallo del sindaco. Non vi siete accorti che gli ho scambiato la torre sotto il naso, ai karpiani?

– Ma quando???

– Quando l'hanno rimpicciolita e io mi ci sono buttato sopra, fingendo di fare il cane sulla tomba del padrone. L'ho sostituita con uno dei miei ricordini. Nella borsetta della signora Boll Boll c'è la torre fasulla! E quella vera è questa qua, questa qua; e ce l'hanno pure fatta tornare grande e pendente come prima; e ci hanno pure fatto quattro risate. Ma guardate, toccate, leggete tutti i nomi che ci avete scarabocchiato sopra...

– È vero! È vero! – grida una signora. – Ecco qui i nomi dei miei bambini, Giorgina e Renato. Ce li hanno scritti proprio stamattina con la biro!

– Bravi! – fa un vigile urbano, dopo aver controllato. – Proprio così. Cosa fa, signora, la contravvenzione la paga subito o gliela mando a casa?

Ma la contravvenzione, per una volta, la paga generosamente il sindaco di tasca sua, mentre il signor Carletto Palladino viene portato in trionfo, che, per lui, è tutta una perdita di tempo, perché intanto i turisti comprano i ricordini dalla concorrenza.

Miss Universo dagli occhi color verde-venere

Delfina, chi è? È la parente povera della signora Eulalia Borgetti, che ha una lavanderia a secco a Modena, in Canal Grande. Le figlie della vedova Borgetti, Sofronia e Bibiana, si vergognano un po' di una cugina cosí povera, sempre vestita di una vestaglia grigia, sempre in lavanderia a trafficare con le macchine, a pulire giacche di renna, a stirare pantaloni e camicie. Tra loro due, la chiamano «quella là». Sanno che la mamma la tiene per carità, per compassione e perché rende come due operaie e non costa un soldo di contributi. Però qualche volta anche loro si commuovono e la portano al cinema, dove la mandano ai secondi posti, mentre loro vanno ai primi.

– Sono cosí di cuore, le mie ragazzuole, – dice la signora Eulalia, stando bene attenta che Delfina non prenda la seconda fetta di zampone.

Ma Delfina non la prende. E beve acqua.

E alla frutta mangia le mele, non i mandaranci. E lava i piatti, intanto che Sofronia e Bibiana scartano cioccolatini. E va perfino a messa, perché qualcuno della famiglia ci deve andare.

Al gran ballo per l'elezione del Presidente della repubblica di Venere non ci va. Ci vanno la zia e le cugine, con l'astronave della Camera di Commercio. Ci va mezza Modena, mezza Europa. A guardare in cielo si vedono centinaia di razzi dalla coda infuocata, come tante stelle cadenti che cadono all'insú, invece che all'ingiú. Dicono che le feste da ballo su Venere siano una splendidezza. Ci arrivano giovanotti e ragazze da ogni angolo della Via Lattea. Aranciata a volontà, lecca-lecca gratis per tutti.

Delfina sospira e rientra in negozio. Deve finire di stirare il vestito della signora Foglietti, che lo metterà domani sera all'Opera, dove danno la *Cenerentola* del maestro Rossini. Un bel vestito, tutto nero, ricamato d'oro e d'argento: pare una notte stellata. Al ballo su Venere la signora Foglietti non lo può indossare, perché lo ha già portato due mesi fa per l'elezione di un altro presidente. Lassú fanno tanti presidenti per poter fare tante feste da ballo.

Delfina pensa (erroneamente, ma lei non può saperlo) che non succederà niente, né di bene né di male, se si proverà quel bel vestito. Difatti se lo prova e le sta a meraviglia, come dice lo specchio, strizzandole l'occhio. Delfina fa due o tre passi di danza, arriva sulla porta della lavanderia e siccome la strada è deserta, si spinge fuori danzando da un marciapiedi all'altro. A un tratto sente delle voci, un suono di passi. Oddio, bisogna nascondersi. C'è proprio un'astronave tipo famiglia, parcheggiata lí vicino. Si chiama *Fata II*, ma questo non le impedisce di avere la portiera aperta. Delfina ci s'infila, sprofonda nel sedile posteriore. Ah, come sarebbe bello partire, cosí, andarsene a spasso tra le stelle, senza meta, senza doveri, senza zie arcigne, senza cugine pettegole, senza clienti pignole...

I passi e le voci si avvicinano, sono qui. La portiera anteriore del missile si apre. Delfina fa in tempo a riconoscere la coppia che entra e si lascia scivolare sul pavimento, per poter fare finta di non essere lí:

– Oh, mamma! Proprio la signora Foglietti! Se mi vede col suo vestito...

– Però non facciamo tardi, – sta dicendo la signora Foglietti a suo marito, il cavalier Foglietti, proprietario di una fabbrica di accessori per apriscatole. – A mezzanotte in punto torniamo, perché domattina voglio

andare a Campogalliano a comprare le uova fresche.

Il signor Foglietti brontola una risposta con firma illeggibile. Egli sfrega un cerino per accendersi la sigaretta; contemporaneamente preme il tasto dell'avviamento. Il razzo spicca un balzo alla velocità della luce (piú due centimetri al minuto secondo) e, prima che il cerino si spenga, eccoli bell'e che arrivati sul pianeta Venere.

Delfina aspetta che il cavalier Foglietti e signora scendano a terra e si allontanino; poi dice: – Bè, giacché ci sono, vado anch'io a dare un'occhiata alla festa. Ci sarà tanta di quella gente che la signora Foglietti non mi vedrà di sicuro, né me né il suo vestito.

Il palazzo della presidenza è lí a due passi. Ha un milione di finestre illuminate. Nella sala da ballo ci sono settecentocinquantamila ballerini che stanno imparando la nuova danza, chiamata «Saturn». Il posto ideale per ballare in incognito.

– Signorina, permette?

Quello che si rivolge a Delfina è un bel giovanotto alto, elegante, con la forza dei nervi distesi.

– Veramente io sono appena arrivata, non conosco ancora il «Saturn».

– Ma è facilissimo; glielo insegno io. Somiglia un po' al tango-valzer e alla sambagavotta. È quasi come camminare. Ha visto?

– Sí, è semplice. Noi, sa, siamo ancora fermi al minuetto-twist.

– Lei è terrestre, vero?

– Sí, di Modena. E lei è venusiano: si vede dai capelli verdi.

– Ma anche lei ha una bellissima cosa verde. Anzi, proprio verde-venere: i suoi occhi.

– Davvero? Le mie cugine dicono sempre che ho gli occhi color cicoria.

Delfina e il giovane venusiano ballano quel ballo e altri ventiquattro. Smettono solo quando la musica tace e gli altoparlanti, in tutte le lingue della Via Lattea, diffondono l'annuncio che tra qualche minuto il Presidente di Venere premierà la piú bella della festa.

«Beata lei! – pensa Delfina. – Ma non sarà ora che scappi? Meno male; sono appena le undici e mezza. I Foglietti ripartono a mezzanotte in punto. Bisogna per forza che torni a terra con la loro astronave. Mi nasconderò sul sedile di dietro, come all'andata».

Mentre lei riflette su queste e altre cose della massima importanza, due signori in alta uniforme le si avvicinano, la prendono per un braccio e l'accompagnano verso il palco dell'orchestra.

«Addio, – pensa Delfina. – Forse la signora Foglietti mi ha vista e mi ha denunciata per furto di abito da sera. Chi sa dove mi portano questi due carabinieri venusiani».

La portano proprio sul palco, la portano. Scoppiano intorno, gli applausi.

«Crumiri, – pensa poco gentilmente Delfina. – Non dubitano neanche che si possa trattare di un errore giudiziario: battono le mani ai carabinieri che mi arrestano. Ma io non parlo se non c'è il mio avvocato».

– Signore e signori, – dicono gli altoparlanti, – ecco il Presidente.

Cosa? Il Presidente? Ma è quel giovanotto che ha ballato con Delfina tutta la sera! Sta a vedere che... Proprio cosí. È lui il Presidente della repubblica venusiana. Egli proclama Delfina «Miss Universo» e le sorride, mentre i valletti della presidenza depongono ai piedi di Delfina ogni sorta di regali: un bel frigorifero, una lavatrice automatica con ventisette programmi, bottigliette di shampoo, tubetti di dentifricio, scatole di pastiglie contro il mal di testa e il mal d'astronave, un apriscatole d'oro (offerto dalla ditta Foglietti di Modena, Terra), eccetera.

– Il Presidente, – proclama l'altoparlante, – consegnerà ora alla signorina un anello con pietra del colore dei suoi occhi.

Le dita tremano a Delfina, mentre il Presidente sta per infilarle l'anello... Ma ad un tratto gli occhi le corrono all'orologino da polso: un minuto e mezzo a mezzanotte! L'astronave! La lavanderia a secco!

Delfina si scuote come se una vespa l'avesse punta. Lascia cadere l'anello, salta giú dal palco, fende di corsa la folla, che naturalmente sa come comportarsi e perciò fa ala al suo passaggio. La *Fata II* è ancora lí al parcheggio; per fortuna, i Foglietti sono un po' in ritardo. Si vede che hanno voluto assistere alla premiazione di «Miss Universo». Meglio cosí che perdere l'ombrello quando piove. Delfina scivola al suo posto, facendo finta di essere altrove, e aspetta.

– Strano, – dice poi la signora Foglietti al marito, mentre si preparano a partire, – quella ragazza che ha ballato tutta la sera col Presidente, quella che stavano premiando proprio adesso...

– Bella figliola, – dice il cavalier Foglietti. – Hai visto come ha gradito il nostro apriscatole d'oro? È una che se ne intende.

– Volevo dire, – continua la signora, – non ti pare che indossasse un vestito preciso, identico al mio? Sai, quello nero ricamato d'oro e d'argento che costa cinquecento...

– Ma va' là!

– Se non sapessi che il vestito si trova in lavanderia...

Il signor Foglietti si accende una sigaretta. E toccano terra, a Modena, prima che egli abbia il tempo di buttar fuori la prima nuvoletta di fumo.

La mattina dopo Sofronia e Bibiana vanno a vantarsi in lavanderia con Delfina di tutto quello che hanno visto, detto, fatto, sentito.

– Abbiamo quasi ballato con il Presidente.

– Io gli ho quasi toccato un braccio.

– Un bel ragazzo. Peccato quel difetto.

– Quale difetto?

– Ma, quei capelli verdi come la cicoria. Io, se fossi sua moglie, glieli farei tingere.

– È sposato?

– Quasi. Dicono che sposerà Miss Universo. Una biondina un po' tocca. Figurati che a mezzanotte è scappata via perché, dicono, se torna a casa dopo mezzanotte, sua madre la mena.

E Delfina zitta.

Nel pomeriggio tutta Modena è in subbuglio. Ambasciatori del pianeta Venere stanno battendo la città, casa per casa, per una missione straordinaria, con doppia trasferta pagata.

– Cosa fanno? Cosa cercano?

– Figuratevi: dicono che quella Miss Universo là era una di Modena.
– Di Modena o di Rubiera.
– Nella confusione si sono dimenticati di domandarle come si chiama. E il Presidente venusiano la vuole sposare oggi stesso, se no dà le dimissioni e si ritira in un distributore di benzina.
Gli ambasciatori vanno girando con un anello, confrontano il colore della pietra con quello degli occhi delle ragazze, ma non li trovano mai uguali.
Sofronia corre a provarsi l'anello.
– Signorina, ma lei ha gli occhi neri!
– Cosa c'entra? Io ho gli occhi cangianti. Ieri sera potevo anche averli del colore che dite voi.
Corre Bibiana a provarsi l'anello.
– Signorina, non ci siamo: lei ha gli occhi castani.
– Cosa vuol dire? Se l'anello mi va bene, sono io quella che cercate.
– Signorina, ci lasci lavorare.
Cammina e cammina, arrivano in Canal Grande; sono nei pressi della lavanderia Borgetti. Ma prima di loro entra in lavanderia la signora Foglietti, in cerca del suo vestito.
– Eccolo qua, – dice Delfina, tutta tremante.

– Ma non è ancora stirato! – protesta la signora Foglietti.

– Come sarebbe? – fa la signora Eulalia. – Doveva essere pronto già fin da ieri sera al tramontare del sole! Cosa sono queste storie?

Delfina impallidisce. E siccome proprio in quel momento si affacciano sulla soglia gli ambasciatori venusiani in uniforme, e lei li scambia per carabinieri, e crede che siano venuti per il furto del vestito, pensa bene di svenire.

Quando rinviene, si trova seduta sulla migliore sedia del negozio e intorno a lei ambasciatori, cugine, zie, clienti e una gran folla, dentro e fuori della porta, tutti in estasi, tutti in attesa che apra gli occhi.

– Eccoli, guardate! – gridano gli ambasciatori. – Ecco gli occhi color verde-venere.

– Ed ecco il vestito che Miss Universo indossava ieri sera, – grida trionfante la signora Foglietti.

– Io... – balbetta Delfina, – io... l'ho messo... ma non l'ho fatto apposta...

– Figlia mia, ma cosa dici? Quel vestito è tuo! Che onore per me! Che onore per Modena e per Campogalliano! La nostra Delfina diventa Presidentessa del pianeta Venere!

Eccetera, eccetera. Seguono i festeggiamenti.

La sera stessa Delfina parte per Venere, sposa il Presidente della repubblica, il quale, per stare in sua compagnia, dà immediatamente le dimissioni dalla carica e torna al suo lavoro, in un distributore di carburante fotonico per astronavi. Ai venusiani gli tocca eleggere un altro Presidente e fare un'altra festa da ballo. Ci va anche la signora Foglietti, portando a Delfina i saluti della zia, di Bibiana e di Sofronia, che sono andate a passare le acque a Chianciano Terme. E le porta pure una bella dozzina di uova fresche, comprate a Campogalliano.

Per chi filano le tre vecchiette?

Dispettosetti, gli dei delle antiche favole. Una volta Giove offende Apollo, magari solo per cavarsi un capriccio. Apollo se la lega al dito e, appena può, gli rende pane per pizza, ammazzando un certo numero di Ciclopi.

Dice: cosa c'entra il burro con la ferrovia e cosa c'entrano i Ciclopi con Giove?

C'entrano sí, perché sono i suoi fornitori di fulmini. Giove li tiene come la rosa al naso: non c'è nessun'altra ditta che produce fulmini col marchio della buona qualità come quelli. Quando gli vanno a dire che Apollo gli ha sabotato la produzione, Giove si arrabbia sul serio e gli manda un avviso di reato. Apollo si deve presentare per forza, perché Giove è il re degli dei.

– Cosí e cosí, – dice Giove. – Per punizione andrai in esilio sulla Terra per sette anni, e per sette anni servirai come schiavo in casa di Admeto, re di Tessaglia.

Apollo fa la sua penitenza senza discutere. È un ragazzo in gamba, sa farsi voler bene; con Admeto ci va d'accordo e diventano amici. Dopo sette anni torna sull'Olimpo. Sulla strada di casa si sente salutare da certe vecchiette che stanno a filare sul balcone.

– Come vanno i reumatismi? – s'informa gentilmente.

– Non ci lamentiamo, – rispondono le tre vecchiette, che poi sono le tre Parche.

(Avete presente? Ma sí, quelle tre dee che governano il destino di ogni uomo dalla nascita alla morte. Per ogni uomo filano un filo e quando lo tagliano, *zac*, quell'uomo là può anche fare testamento).

– Vedo che siete avanti nel lavoro, – dice Apollo.

– Eh, già; questo filo l'abbiamo bello che finito. E lo sai di chi è?

– No.

– Ma è il filo del re Admeto. Ne ha ancora per due o tre giorni.

«Accipicchia, – pensa Apollo. – Poveraccio! L'ho lasciato in buona salute ed ecco, già viaggia in riserva».

– Sentite, – dice poi alle vecchiette. – Admeto è amico mio. Non potreste lasciarlo campare ancora qualche annetto?

– E come si fa? – ribattono le Parche. – Noi non si avrebbe niente contro di lui, è una bravissima persona. Ma quando tocca, tocca. La morte deve ricevere il suo tributo.

– Non è mica tanto vecchio, l'Admeto.

– Non è questione di età, tesoro. Ma tu gli sei proprio affezionato?

– Ve l'ho detto, è un amicone.

– Bè, guarda, per stavolta si può fare cosí: il suo filo lo teniamo in sospeso e in aspettativa. Però a un patto: che qualcun altro accetti di morire al suo posto. Ti va?

– Altroché. E grazie tante.

– Figurati! Per farti piacere, questo e altro.

Apollo non passa neanche da casa per controllare la posta. Torna in terra di volata e acchiappa al volo Admeto, che stava uscendo per andare a teatro.

– Senti, Adme', – gli dice, – cosí e cosí, eccetera eccetera. Insomma, tu sei salvo per un pelo; però bisogna che ci sia un altro funerale. Troverai qualcuno che prenda il posto tuo nella cassa?

– Spero bene, – risponde Admeto, versandosi un bicchierino di roba forte per farsi passare lo spavento. – Sono o non sono il re? La mia vita è troppo importante per lo Stato. Mannaggia, però: mi hai fatto venire i sudori freddi.

– Che ci vuoi fare? È la vita.

– No, no. È proprio il contrario.

– Allora, ciao.

– Ciao, Apollo, ciao. Non ho neanche il fiato per dirti grazie. Ti manderò una cassetta di quelle bottiglie che ti piacevano ai bei tempi.

«Mannaggia, – pensa di nuovo Admeto appena rimasto solo. – Tu guarda cosa mi capita. Meno male che ho delle conoscenze altolocate. Mannaggia!»

Manda a chiamare il suo servo piú fidato, gli racconta come stanno le cose, gli batte la mano su una spalla e gli dice di prepararsi.

– A far che, Maestà?

– E me lo domandi? A morire, si capisce. Non mi negherai mica questo favore! Non sono sempre stato un buon padrone per te? Non ti ho sempre pagato gli straordinari, gli assegni familiari, la tredicesima?

– Certo, certo.

– Volevo ben dire. Dunque, dài, che non c'è tempo da perdere. Tu pensa a morire che io penso a tutto il resto: carro funebre di prima classe, tomba con lapide, pensione alla vedova, borsa di studio per l'orfanello... D'accordo?

– D'accordo, Maestà. Domattina sarà fatto.

– Perché domattina? Mai rimandare a domani quello che si può fare oggi.

– Debbo scrivere delle lettere, lasciare qualche disposizione, fare il bagno...

– Domattina, allora. Ma un po' prestino.
– All'alba, sire, all'alba.

Ma all'alba il servo fedele è già in alto mare, su una nave fenicia che fa rotta per la Sardegna. E non si può neanche far pubblicare la sua fotografia sui giornali, con sopra un bel «Chi l'ha visto?», perché i giornali non sono ancora stati inventati. E neppure le fotografie.

Per Admeto è un colpo al bersaglio grosso, che gli fa venir da piangere. Vatti a fidare dei vecchi servi fedeli nel momento del bisogno.

Admeto chiama una carrozza e si fa portare dai suoi genitori, che vivono in campagna, in un bel villino con il riscaldamento e tutto.

– Eh, – dice, – voi siete i soli che mi volete bene.

– Puoi dirlo forte.

– Siete i soli a cui io possa chiedere tutto, col cuore in mano.

– Vuoi un po' di quei bei ravanelli del nostro orto? – domandano i vecchi, prudentemente.

Quando sentono quello che vuole, si fanno venire il nervoso.

– Admetuccio, – dicono, – noi siamo quelli che ti abbiamo dato la vita e tu adesso, in cambio, vuoi la nostra. Bella gratitudine!

– Ma non vedete che avete già un piede nella fossa?

– Quando toccherà a noi, moriremo. Per adesso non ci tocca. Quando ci toccherà, noi non ti chiederemo di morire al posto nostro.

– Capisco, capisco. È proprio un gran bene che mi volete...

– Senti chi parla! Dopo che ti abbiamo lasciato anche il trono e la vigna.

Admeto, distrattamente, prende un ravanello dal piatto che sua madre gli ha messo davanti e se lo ficca in bocca. Poi lo sputa, salta sulla carrozza e torna alla reggia.

Uno dopo l'altro chiama i suoi ministri, generali, ammiragli, ciambellani, maggiordomi, avvocati, consulenti fiscali, astrologi, drammaturghi, teologi, musicisti, cuochi, allenatori di cani da caccia... E loro, uno dopo l'altro:

– Maestà, morirei piú che volentieri per voi, ma ho tre vecchie zie. Che ne sarebbe di loro?

– Sire, anche subito, immediatamente se potessi; ma ho preso le ferie proprio ieri...

– Padrone, abbiate pazienza, debbo finire di scrivere le mie memorie...

– Vigliacchi! – grida Admeto, pestando i piedi. – Avete dunque tanto paura della morte? Vi farò tagliare la testa a tutti quanti. A me non servirà a niente, perché solo un volontario può salvarmi, ma almeno non creperò solo... Faremo una bella processione all'inferno.

Quelli cominciarono a piangere e a battere i denti. Admeto li ficca in cella di rigore dal primo all'ultimo, ordina al boia di affilare la scure e va da sua moglie a farsi fare una spremuta d'arancio, perché gli è venuta sete.

– Alcesti, cara, – le dice con un'aria da vittima, – ci dobbiamo salutare per l'ultima volta. Cosí e cosí, le Parche, eccetera. Apollo è un vero amico e via dicendo; tutti mi vogliono un gran bene, ma in conclusione nessuno ne vuol sapere di morire al mio posto.

– E solo per questo sei tanto disperato? A me non hai ancora chiesto nulla.

– A te?

– Ma certo! Morirò io al posto tuo. È cosí semplice.

– Tu sei matta, Alcesti! Non pensi al mio dolore. Non pensi come piangerei ai tuoi funerali?

– Piangerai, e dopo ti passerà.

– No che non mi passerà.

– Ma sí, ti passerà e vivrai ancora tanti anni felice e contento.

– Dici?

– Te l'assicuro.

– Allora... Quand'è cosí... Se proprio vuoi...

Si danno il bacio dell'addio, Alcesti va nella sua camera e muore. La reggia risuona di pianti e di strida. È Admeto quello che piange piú forte di tutti. Comunque, fa rimettere in libertà i ministri, cuochi e compagnia; ordina di suonare le campane a morto e di esporre le bandiere a mezz'asta; chiama un'agenzia di pompe funebri e si mette d'accordo per i funerali. È lí che discute sulle maniglie della cassa, quando ecco un servo gli viene ad annunciare un ospite.

– Ercole, vecchio mio!

– Ciao, Admeto. Passavo di qui per andare a rubare le mele d'oro nel Giardino delle Esperidi e ho pensato di farti un salutino.

– E hai fatto benone! Guai a te se non ti facevi vivo.

– A proposito, – dice Ercole, – vedo che siete in lutto.

– Sí, – dice Admeto in fretta. – È morta una donna. Ma non c'è motivo che ti rattristi. L'ospite è sacro. Ti faccio preparare un bel bagno, poi ceneremo e parleremo dei bei vecchi tempi.

Il buon gigante va a fare il bagno. Ne ha proprio bisogno. Sempre in giro a compiere eroiche fatiche, ad ammazzare mostri, a pulire stalle, a fare ogni sorta di lavori pesanti e difficili, è tanto se vede una vasca da bagno una volta all'anno. Mentre si gratta la schiena con la spazzola, comincia a cantare la sua canzone preferita, quella che fa:

Ercole
per Ercole,
sei forte come un Ercole,
sei...

– Signore, – gli sussurra un cameriere, – non dovreste cantare, quando la nostra buona padrona è morta.

– Cosa? Chi è morto!?

Insomma, Ercole viene a sapere tutto e si meraviglia assai che Admeto non gli abbia detto come stanno le cose. Povera Alcesti! E povero Admeto! Gli viene quasi da piangere, se ci pensa...

– Macché piangere, – dice poi, saltando fuori dalla vasca. – Questo è il momento di darsi da fare. Ehi, coso... Cameriere! Trovami la mia clava. Debbo averla lasciata giú nel portaombrelli.

Ercole acchiappa la clava, corre al cimitero e si nasconde presso la tomba destinata ad Alcesti. Quando vede venire la Morte, le salta addosso senza paura e comincia a legnarla con la clava. La Morte si difende a colpi di falce, ma, siccome è intelligente, ci mette poco a capire che Ercole è piú forte di lei e batte in ritirata per non finire al tappeto.

Il gigante ci fa su una bella risata e torna alla reggia, cantando. Per la strada la gente lo guarda male, perché canta mentre il paese è in lutto. Ma lui sa quello che si fa.

– Admeto! Admeto! Ce l'ho fatta!

– Che c'è, Ercole?

– Ho fatto scappare la Comare Secca. Alcesti vivrà!

Admeto diventa bianco che piú bianco non si può. Tutta la sua paura gli ricasca addosso a valanga. Sente dei passi. Si volta... È Alcesti viva, che gli viene incontro quasi con l'aria di chiedergli scusa...

– Ma non siete contenti? – domanda Ercole perplesso. – Dài, facciamo un po' di allegria.

Macché, pare che il funerale cominci adesso. Admeto si lascia cadere su una poltrona e trema che fa pena a guardarlo. Alcesti tiene gli occhi bassi.

– Ma, insomma, – dice Ercole, asciugandosi il sudore, – credevo di farvi un piacere e pare che vi ho fatto un dispetto. Al giorno d'oggi, con gli amici, non si sa piú come comportarsi. Bè, sentite, io vi saluto e sono... Scrivetemi ogni tanto.

Ercole se ne va imbronciato, agitando la clava. Admeto tende l'orecchio. Gli sembra di sentire un rumorino lontano lontano... Lassú, sul loro balcone, le tre vecchiette filano... filano... chi sa per chi...

Indice

Novelle fatte a macchina

Einaudi Ragazzi

Storie e rime

1 Mario Lodi, *Bandiera*
2 Mario Lodi e i suoi ragazzi, *Cipí*
4 Mario Rigoni Stern, *Il libro degli animali*
7 Gianni Rodari, *Prime fiabe e filastrocche*
9 Gianni Rodari, *La torta in cielo*
14 Gianni Rodari, *Favole al telefono*
16 Jean de La Fontaine, *Favole*
17 Gianni Rodari, *Il libro degli errori*
19 Mario Lodi, *Bambini e cannoni*
20 Gianni Rodari, *La gondola fantasma*
24 Gianni Rodari, *Fiabe e Fantafiabe*
25 Francesco Altan, *Kamillo Kromo*
28 *La storia di Pik Badaluk*
32 Gianni Rodari, *Gli affari del signor Gatto - Storie e rime feline*
33 *Favole di Esopo*
34 Gianni Rodari, *Novelle fatte a macchina*
35 Pinin Carpi, *C'è gatto e gatto*
36 Jill Barklem, *Il mondo di Boscodirovo*
37 Helme Heine, *Il libro degli Amici Amici*
38 Gianni Rodari, *Storie di Marco e Mirko*
39 Gianni Rodari, *Le favolette di Alice*
44 Gianni Rodari, *Zoo di storie e versi*
45 Bianca Pitzorno, *L'incredibile storia di Lavinia*
46 Nicoletta Costa, *Gatti Streghe Principesse*
47 Pinin Carpi, *Nel bosco del mistero - Poesie, cantilene e ballate per i bambini*
49 Gianni Rodari, *Versi e storie di parole*
52 Gianni Rodari, *I viaggi di Giovannino Perdigiorno*

53 Roberto Piumini, *Fiabe per occhi e bocca*
54 L. Gandini / R. Piumini, *Fiabe lombarde*
55 Gianni Rodari, *Il gioco dei quattro cantoni*
56 L. Gandini / R. Piumini, *Fiabe siciliane*
57 Gianni Rodari, *Il Pianeta degli alberi di Natale*
59 Bianca Pitzorno, *Streghetta mia*
60 Angela Nanetti, *Le memorie di Adalberto*
62 Raymond Briggs, *Babbo Natale*
65 Gianni Rodari, *Filastrocche in cielo e in terra*
66 H. Bichonnier / Pef, *Storie per ridere*
67 Beatrice Solinas Donghi, *Quell'estate al castello*
69 Gianni Rodari, *Marionette in libertà*
70 Gianni Rodari, *Il secondo libro delle filastrocche*
72 Roberto Piumini, *Dall'ape alla zebra*
74 Gianni Rodari, *Altre storie*
75 Jill Barklem, *Un anno a Boscodirovo*
77 Gianni Rodari, *Agente x.99: storie e versi dallo spazio*
79 Roberto Piumini, *Lo stralisco*
80 Colin e Jacqui Hawkins, *Storie di mostri e di fantasmi*
81 Gianni Rodari, *Fra i banchi*
84 Roberto Piumini, *Mattia e il nonno*
86 Roberto Piumini, *Motu-Iti - L'isola dei gabbiani*
87 Gianni Rodari, *C'era due volte il barone Lamberto*
89 Nicoletta Costa, *Storie di Teodora*
94 Roberto Piumini, *Denis del pane*
95 L. Gandini / R. Piumini, *Fiabe toscane*
96 Angela Nanetti, *Mio nonno era un ciliegio*
99 Mino Milani, *La storia di Tristano e Isotta*
101 Roberto Piumini, *Il segno di Lapo*
102 Mino Milani, *La storia di Dedalo e Icaro*
106 Daniel Pennac, *Kamo - L'agenzia Babele*
107 Christine Nöstlinger, *Come due gocce d'acqua*
111 Mino Milani, *La storia di Ulisse e Argo*
112 Lella Gandini, *Ninnenanne e tiritere*
113 Christine Nöstlinger, *Mamma e papà, me ne vado*
114 Nicoletta Costa, *Storie di Margherita*
115 Pinin Carpi, *Il mare in fondo al bosco*
116 Ian McEwan, *L'inventore di sogni*
118 L. Gandini / R. Piumini, *Fiabe venete*
119 Beatrice Solinas Donghi, *Il fantasma del villino*

124 Mino Milani, *La storia di Orfeo ed Euridice*
125 Jackie Niebisch, *Il collegio dei vampiretti - Il concorso mostruoso*
126 Daniel Pennac, *L'evasione di Kamo*
127 S. Bordiglioni / M. Badocco, *Dal diario di una bambina troppo occupata*
128 Erwin Moser, *Minuscolo*
130 Susie Morgenstern, *Prima media!*
131 N. Caputo / S.C. Bryant, *Storie e storielle*
132 Sabina Colloredo, *Il bosco racconta*
133 Roberto Piumini, *L'oro del Canoteque*
134 Christine Nöstlinger, *Anch'io ho un papà*
139 Pinin Carpi, *La regina delle fate*
140 Erwin Moser, *Manuel e Didi - Avventure d'inverno*
141 Stefano Bordiglioni, *Scuolaforesta*
142 G. Quarzo / A. Vivarelli, *Amico di un altro pianeta*
144 Antonella Ossorio, *Quando il gatto non c'è i topi ballano*
145 Angela Nanetti, *Ofelia, vacci piano!*
146 Mario Rigoni Stern, *Il sergente nella neve*
147 Christine Nöstlinger, *La famiglia cercaguai*
148 Daniel Pennac, *Io e Kamo*
150 Oscar Wilde, *Il fantasma di Canterville*
152 Mino Milani, *La storia di Enrico VIII e delle sue sei mogli*
153 *Con la pioggia e con il sole - Poesie e filastrocche per chi le vuole*
156 Isaac Bashevis Singer, *Una notte di Hanukkah*
157 *Storie per tutte le stagioni*
158 Roberto Piumini, *Giulietta e Romeo*
159 Stefano Bordiglioni, *Scherzi. Istruzioni per l'uso - 52 modi per cacciarsi nei guai*
160 Anne Fine, *Il diario di Jennifer*
161 Daniel Pennac, *Kamo - L'idea del secolo*
162 Erwin Moser, *Manuel e Didi - Avventure di primavera*
163 Roberto Piumini, *Tutta una scivolanda*
164 Rudyard Kipling, *Rikki-tikki-tavi*
165 Luciano Comida, *Un pacco postale di nome Michele Crismani*
166 Roberto Piumini, *Tre sorrisi per Paride*
169 *Do re mi fa - Poesie e filastrocche a volontà*
170 Stefano Bordiglioni, *Guerra alla Grande Melanzana*

171 Wilhelm Hauff, *Piccolo Nasolungo*
172 Angela Nanetti, *Angeli*
173 Erwin Moser, *Manuel e Didi - Avventure d'autunno*
174 L. Gandini / R. Piumini, *Fiabe del Lazio*
176 Sabina Colloredo, *Un'estate senza estate*
177 Luciano Comida, *Michele Crismani vola a Bitritto*
179 J.J. Sempé / R. Goscinny, *Le vacanze di Nicola*
180 Hans M. Enzensberger, *Il mago dei numeri*
181 Louis Pergaud, *La guerra dei bottoni*
183 S. Bordiglioni / R. Aglietti, *Teseo e il mostro del labirinto*
184 Nico Orengo, *L'allodola e il cinghiale*
185 Sebastiano Ruiz Mignone, *Il Cavalier Vampiro*
188 Erwin Moser, *Manuel e Didi - Avventure d'estate*
189 Marie-Hélène Delval, *Gatti*
190 Beatrice Masini, *Olga in punta di piedi*
192 Daniel De Foe, *Robinson Crusoe*
196 Oscar Wilde, *Il compleanno dell'Infanta*
197 Bianca Pitzorno, *Extraterrestre alla pari*
198 Guido Quarzo, *Il viaggio dell'Orca Zoppa*
200 Sigrid Heuck, *Storie sotto il melo*
201 Hans Christian Andersen, *C'era una volta, tanto tempo fa*
204 Oscar Wilde, *Il figlio delle stelle*
205 Luciano Malmusi, *Triceratopino nella valle dei dinosauri*
207 Angela Nanetti, *L'uomo che coltivava le comete*
208 Anne Fine, *Io e il mio amico*
209 Oscar Wilde, *Il Gigante egoista*
210 Roberto Piumini, *C'era una volta, ascolta*
211 Lev Tolstoj, *Filipok*
212 Edgar Allan Poe, *Il gatto nero e altri racconti*
213 Angela Nanetti, *P come prima (media) - G come Giorgina (Pozzi)*
215 Sigrid Heuck, *Pony, Orso e la stella piú bella*
216 Alan Jolis, *La strega Pienadira e la risata che uccide*
217 Edgar Allan Poe, *Lo scarabeo d'oro*
218 Angela Nanetti, *Gli occhi del mare*
220 Bernard Clavel, *Storie di cani*
222 Mark Twain, *Le avventure di Tom Sawyer*
223 Angela Nanetti, *Veronica, ovvero «i gatti sono talmente imprebedibili»*

224 Gudrun Pausewang, *Basilio, vampiro vegetariano*
225 Nikolaj Gogol, *Il naso*
226 *Storie di fantasmi*
227 Nicoletta Costa, *Dove vai, nuvola Olga?*
228 Beatrice Masini, *Signore e signorine - Corale greca*
229 Sabina Colloredo, *Un'ereditiera ribelle - Vita e avventure di Peggy Guggenheim*
230 Roberto Piumini, *Mi leggi un'altra storia?*
231 *Belle, astute e coraggiose - Otto storie di eroine*, testi di Véronique Beerli
232 Stefano Bordiglioni, *La macchina Par-Pen*
233 Oscar Wilde, *Il Principe Felice*
234 Angela Nanetti, *Adamo e Abelia*
235 Mario Rigoni Stern, *Compagno orsetto*
236 Frank Rodgers, *I vampiri di Monte Canino*
237 Stefano Bordiglioni, *Un problema è un bel problema*
238 Johanna Marin Coles e Lydia Marin Ross, *L'alfabeto della saggezza - 21 racconti da tutto il mondo*
239 L. Gandini / R. Piumini, *Fiabe piemontesi*
240 Agostino Traini, *Fantastica mucca Moka!*
241 Roberto Piumini, *Seme di Amacem*
242 Sabina Colloredo, *Un amore oltre l'orizzonte - Vita e viaggi di Margaret Mead*
243 Johanna Marin Coles e Lydia Marin Ross, *Storie dal cuore del mondo - cristiane, ebraiche, musulmane, buddiste, induiste*
244 Stefano Bordiglioni, *Il Capitano e la sua nave - Diario di bordo di una quarta elementare*
245 Christine Nöstlinger, *Lilli Superstar*
246 Donatella Bindi Mondaini, *Il coraggio di Artemisia - Pittrice leggendaria*
247 Roberto Piumini, *Le tre pentole di Anghiari*
248 Jack London, *Il richiamo della foresta*
249 Roberto Piumini, *Tre fiabe d'amore*
250 *La danza è la mia vita*
251 Stefano Bordiglioni, *I fantasmi del castello*
252 Beatrice Masini, *A pescare pensieri*
253 Geraldine McCaughrean, *Storie d'amore e d'amicizia*
254 Stefano Bordiglioni, *La congiura dei Cappuccetti*
255 Sabina Colloredo, *Non chiamarmi strega*

256 Roberto Piumini, *Il circo di Zeus - Storie di mitologia greca*
257 Luciano Comida, *Non fare il furbo, Michele Crismani*
258 *Storie di streghe, lupi e dragolupi*
259 Erwin Moser, *La barca dei sogni - Storie della buonanotte*
260 Ingo Siegner, *Nocedicocco - Draghetto sputafuoco*
261 Roberto Piumini, *Storie per chi le vuole*
262 Ingo Siegner, *Nocedicocco va a scuola*
263 *L'amore, la vendetta e la magia - dalle opere di William Shakespeare*, testi di Andrew Matthews
264 Saviour Pirotta, *Ai piedi dell'Olimpo - Miti greci*
265 Geraldine McCaughrean, *Il lago dei cigni e altre storie dai balletti*
266 E.T.A. Hoffmann, *Schiaccianoci e il Re dei Topi*
267 Françoise Bobe, *Un gatto tira l'altro*
268 Mino Milani, *Un angelo, probabilmente*
269 Sabina Colloredo, *I giorni dell'amore, i giorni dell'odio - Cleopatra, regina a diciott'anni*
270 Rolande Causse e Nane Vézinet, *Storie di cavalli*
271 Silvia Roncaglia e Sebastiano Ruiz Mignone, *Vacanze in Costa Poco*
272 Irène Colas, *Guida per aspiranti principesse*
273 Roberto Piumini, *Storie in un fiato*
274 Kenneth Grahame, *Il vento nei salici*
275 Gianni Rodari, *Gip nel televisore e altre storie in orbita*
276 L. Gandini / R. Piumini, *Fiabe dell'Emilia Romagna*
277 Tony Bradman, *Spade, maghi e supereroi*
278 Stefano Bordiglioni, *Polvere di stelle*
279 Beatrice Masini, *La bambina di burro e altre storie di bambini strani*
280 Anna Russo, *Pao alla conquista del mondo*
281 Stefano Bordiglioni, *Un attimo prima di dormire*
282 Chiara Carminati, *Banana Trip*
283 Irène Colas, *Guida per aspiranti streghe*
284 *Storie di maghi e di magie*, testi di Fiona Waters
285 L. Gandini / R. Piumini, *Fiabe d'Italia*
286 Ingo Siegner, *Nocedicocco e il grande mago*
287 Vivian Lamarque, *Poesie di ghiaccio*
289 Vanna Cercenà, *La Rosa Rossa - Il sogno di Rosa Luxemburg*
290 Vanna Cercenà, *La piú bella del reame - Sissi, imperatrice d'Austria*

291 Beatrice Masini, *La notte della cometa sbagliata*
292 Vanna Cercenà, *Viaggio verso il sereno*
293 Sebastiano Ruiz Mignone, *Sherloco e il mistero dei tacchini scomparsi*
294 Geraldine McCaughrean, *Sotto il segno di Giove - Miti romani*
295 Bernard Chèze, *C'era una volta il cavallo*
296 L. Gandini / R. Piumini, *Fiabe campane*
297 Lewis Carroll, *Alice nel paese delle meraviglie*
298 Ingo Siegner, *Nocedicocco e il Cavaliere Nero*
299 Julia Donaldson, *I giganti e i Jones*
300 Alexandra Moss, *I diari della Royal Ballet School - Il sogno di Ellie*
301 Alexandra Moss, *I diari della Royal Ballet School - Il coraggio di Lara*
302 *Un anno di saggezza - 12 racconti da tutto il mondo*, a cura di Michel Piquemal
303 Jacques Cassabois, *Sette storie di troll*
304 Angela Nanetti, *Azzurrina*
305 Stefano Bordiglioni, *I pirati del galeone giallo*
306 Erminia Dell'Oro, *La Principessa sul cammello*
307 Angela Nanetti, *Venti... e una storia*
308 Sebastiano Ruiz Mignone, *Pelú, il goleador*
309 Benoît Reiss, *Il mondo prima del mondo - Miti delle origini*
310 *Occhio di serpe, lingua di fuoco - Storie di mostri e draghi*
311 Roberto Barbero, *L'orco che non mangiava i bambini*
312 Stefano Bordiglioni, *Voglio i miei mostri!*
313 Geraldine McCaughrean, *Grandi amori sull'Olimpo - Storie degli dei greci*
314 Geraldine McCaughrean, *Cenerentola e altre storie dai balletti*
315 Victor Rambaldi, *Zorra la volpe*

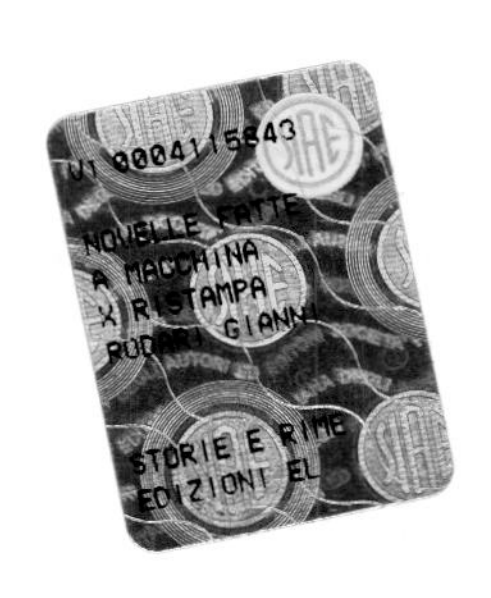

Finito di stampare per conto delle Edizioni **EL**
presso LEGO S.p.A., Vicenza

Ristampa				Anno		
10	11	12	13	2007	2008	2009